D1156515

Illustrations intérieures et de couverture :
Laura Cavallini
Conception graphique et réalisation : Lorette Mayon

L'édition originale de cet ouvrage a paru en langue anglaise
chez HarperCollins Children's Books,
a division of HarperCollins Publishers, sous le titre :
Liesl & Po

LAUREN OLIVER

Lily et Po

❦ 1 ❦

RENCONTRES ET RENDEZ-VOUS

Traduit de l'anglais (États-Unis)
par Alice Delarbre

hachette

Pour Ana, Jack et leurs enfants,
Jack, Walter, Lucia et Freddie…
L'inspiration se nourrit
aussi des plus grandes épreuves.

UN

La troisième nuit suivant la mort de son père, Lily fit la connaissance du fantôme.

Allongée dans son lit, dans sa petite chambre sous les toits, elle eut soudain l'impression que la pénombre, jusqu'à présent d'un gris uniforme, se plissait. Tout à coup, à côté de son bureau bancal et de sa chaise à trois pieds, surgit un être qui faisait environ sa taille. Un peu comme si l'obscurité était de la pâte à sablés et que quelqu'un s'était servi d'un emporte-pièce en forme d'enfant.

Alarmée, Lily se redressa aussitôt.

— Qui es-tu ? murmura-t-elle dans le noir, alors même qu'elle connaissait déjà la réponse : un fantôme.

Les gens normaux n'émergent pas des ténèbres, pas plus qu'ils ne semblent faits d'une ombre liquide. Et puis, elle avait lu des choses sur les esprits. Il faut dire qu'elle lisait beaucoup dans son grenier, n'ayant pas vraiment d'autre occupation.

— Po, dit le fantôme. Je m'appelle Po.

— D'où viens-tu ? demanda Lily.

— De l'Autre Côté.

À croire que ça tombait sous le sens, à croire que c'était aussi habituel que venir « d'en bas » ou « de la rue ».

— Es-tu une fille ou un garçon ?

Lily portait la même chemise de nuit légère depuis le mardi, jour de la mort de son père, et elle songea tout à coup que, si ce fantôme était un garçon, ce n'était pas une tenue décente.

— Ni l'un ni l'autre, l'informa-t-il.

Lily ne dissimula pas sa surprise.

— Tu es forcément l'un des deux.

— Pas du tout, rétorqua-t-il avec une pointe d'irritation. Je suis ce que je suis, point final. Les choses sont différentes de l'Autre Côté. Les frontières sont… plus floues.

— Mais, insista Lily, tu étais bien l'un ou l'autre… tu sais… avant.

Po la dévisagea un moment. Du moins, c'est l'impression qu'elle eut, car le fantôme n'avait pas d'yeux à proprement parler. Rien que deux plis d'obscurité plus dense à l'endroit où ceux-ci auraient dû se trouver.

— Je ne me souviens pas, finit-il par dire.

— Ah…

Juste à côté de Po, une portion encore plus petite de pénombre se déforma, avant que s'élève un bruit situé entre le miaulement du chat et le jappement du petit chien.

— Et ça, c'est quoi ? s'écria-t-elle.

Po baissa les yeux sur ce qui aurait été ses pieds s'il avait encore été humain.

— Balluchon.

Lily se pencha vers lui. Elle n'avait jamais eu d'animal familier, pas même lorsque son père était encore de ce monde et bien portant, autrement dit des siècles et des siècles plus tôt, avant sa rencontre avec l'affreuse Augusta.

— Il est à toi ? voulut-elle savoir.

— Rien n'appartient à personne de l'Autre Côté, expliqua Po avec un ton quelque peu condescendant. Mais Balluchon m'accompagne partout.

— C'est un chien ou un chat ?

Le petit animal fantôme faisait à présent une sorte de ronron. Il traversa la pièce à pas feutrés, les yeux levés vers Lily. Elle ne distinguait qu'une masse d'ombres ébouriffées au niveau de sa tête, deux pointes d'obscurité qui auraient très bien pu être des oreilles, ainsi que deux rayons de lune, pâles et argentés, qui évoquaient des yeux.

— Je te l'ai déjà dit, répondit Po, ni l'un ni l'autre. Juste Balluchon. De l'Autre Côté…

— … les frontières entre les choses sont floues, je sais, l'interrompit Lily.

Elle resta silencieuse un moment, puis une idée lui traversa soudain l'esprit.

— Tu es venu ici me hanter ?

— Bien sûr que non ! Ne sois pas bête. On a des façons bien plus intelligentes d'occuper notre temps.

Po détestait l'image que les vivants avaient des revenants. Ils se figuraient que ceux-ci n'avaient rien de mieux à faire que hanter les sous-sols ou les entrepôts abandonnés et surprendre les gens.

L'Autre Côté débordait d'activité – au moins autant que ce monde. Ces deux univers coexistaient en parallèle, tels deux miroirs placés face à face. Néanmoins, en temps normal, Po n'accordait que très peu d'attention au Côté des Vivants. Un tourbillon de couleurs à sa gauche, une explosion sonore à sa droite, une vague impression de chaleur et de mouvement.

C'est vrai, si Po pouvait passer à sa guise d'une dimension à l'autre, il le faisait rarement. Au cours de sa longue mort, il n'était revenu en arrière qu'à une ou deux occasions. Quelles raisons aurait-il d'aller plus souvent du Côté des Vivants ? De l'Autre Côté, il y avait une foule de spectres et d'ombres, mais aussi de longs cours d'eau noire où nager, des ciels nocturnes illimités et sans nuages où voler, des étoiles noires ouvrant sur des parties lointaines de l'univers.

— Que fais-tu dans ma chambre, dans ce cas ? s'enquit Lily en croisant les bras.

Vexée d'avoir été traitée d'idiote, elle avait décidé de se montrer désagréable à son tour.

À la vérité, Po ne le savait pas très bien lui-même. Ces derniers mois, le fantôme avait vu apparaître une lueur, chaque soir à la même heure. Et juste à côté de cette faible lumière, une fillette qui dessinait. Puis, trois nuits durant, il n'y avait eu ni lumière ni dessins. Po s'interrogeait sur la raison de cette disparition, quand… *pouf!* il avait été éjecté de l'Autre Côté, comme le bouchon d'une bouteille de champagne qu'on aurait trop secouée.

— Pourquoi as-tu arrêté de dessiner? demanda-t-il.

Cette rencontre inattendue avait distrait Lily. À présent qu'elle se rappelait ce qui était arrivé à son père, elle sentit une tristesse infinie l'envahir. Elle se rallongea dans son lit.

— Je n'avais plus envie, dit-elle.

Traversant à son tour la chambre en silence, Po insista:

— Pourquoi?

Elle soupira.

— Mon père est mort.

Comme Po restait de marbre, Lily poursuivit :

— Il était malade depuis très longtemps. Il se trouvait à l'hôpital.

Le fantôme ne parlait toujours pas. Se dressant sur les ombres qui lui servaient de pattes arrière, Balluchon posa sur Lily ses deux rayons de lune.

La fillette ajouta :

— Ma belle-mère, Augusta, ne m'a pas autorisée à lui rendre visite. Elle a dit… elle a dit qu'il ne voulait pas que je le voie dans cet état, aussi mal en point. Ça ne m'aurait pas dérangée, moi. J'aurais aimé lui dire au revoir. Mais je n'ai pas pu, et maintenant je ne le reverrai plus jamais.

Une boule frémissante serra la gorge de Lily et, tout en fermant les paupières, elle épela trois fois le mot *ineffable* dans sa tête, comme chaque fois qu'elle cherchait à repousser ses larmes.

C'était son mot préféré. Quand elle était toute petite, son père aimait la prendre sur ses genoux pour lui lire de vrais livres d'adultes, avec de vrais mots d'adultes. Dès qu'ils rencontraient un terme qu'elle ne connaissait pas, il lui en donnait la signification. Son père, à la fois scientifique, inventeur et professeur d'université, était très intelligent.

Lily avait gardé le souvenir précis de ce jour où, sous le saule pleureur, il s'était tourné vers elle pour déclarer : « Être ici avec toi me procure un bonheur ineffable, Lily. » Elle lui avait demandé ce que voulait dire *ineffable* et il le lui avait expliqué.

Elle aimait ce terme : il désignait un sentiment si grand ou si intense qu'il ne pouvait être exprimé par des mots. Et le fait que les gens aient dû inventer un mot pour exprimer cette impossibilité remplissait Lily d'une forme d'espoir.

— Pourquoi voulais-tu lui dire au revoir ? finit par demander Po.

Lily le fixa de ses yeux écarquillés.

— Mais… parce que… c'est ce qu'on fait quand les gens s'en vont !

Po se mura à nouveau dans le silence. Balluchon se roula en boule aux pieds du fantôme.

— Et vous… euh… de l'Autre Côté, vous ne dites pas au revoir ? s'étonna Lily, incrédule.

Po secoua l'ombre qui lui servait de tête.

— On se bouscule, on marmonne. Parfois on chante. Mais on ne se dit jamais au revoir.

Après quelques secondes de réflexion, il ajouta :

— Ni bonjour, d'ailleurs.

— C'est très grossier, observa Lily. On se salue toujours ici. Je ne crois pas que l'Autre Côté me plairait.

Les épaules du fantôme furent parcourues d'un frisson, et elle en déduisit que c'était sa façon de marquer son indifférence.

— Ce n'est pas aussi grave, répliqua-t-il.

Prise d'une révélation soudaine, Lily se redressa dans son lit, oubliant qu'elle ne portait qu'une chemise de nuit légère et que Po était peut-être un garçon.

— Mon père doit se trouver de l'Autre Côté ! s'exclama-t-elle. Tu pourrais lui transmettre un message de ma part !

L'ombre de Po s'estompa avant de se matérialiser à nouveau.

— Tous les morts ne passent pas par là.

Le cœur de Lily se serra aussitôt.

— Comment ça ?

— Eh bien…

Il décrivit un lent tour sur lui-même, tête en bas, avant de se redresser ; ça lui arrivait souvent lorsqu'il se creusait les méninges.

— Certains d'entre eux ne s'y arrêtent pas, compléta-t-il.

— Et où vont-ils ?

— Ailleurs. Dans d'autres endroits. Dans l'Au-Delà. Qu'est-ce que j'en sais, moi !

— Rien ne t'empêche de te renseigner, si ?

Lily s'agenouilla sur son lit et considéra Po avec intensité.

— S'il te plaît, persista-t-elle. Pourrais-tu juste… pourrais-tu poser la question ?

— Peut-être.

Il ne voulait pas lui donner de faux espoirs. L'endroit d'où il venait était vaste, et il grouillait de fantômes. Même de ce côté-ci, Po sentait que l'Autre Côté continuait son expansion, que de nouvelles âmes s'engageaient constamment dans ses couloirs sombres et tortueux. Une fois la frontière franchie, les gens perdaient vite leur aspect humain et leur mémoire : ils devenaient flous, ainsi qu'il l'avait dit à Lily. Ils se fondaient dans les ténèbres, dans les espaces immenses entre les étoiles, pour constituer la face invisible de la lune.

Po, qui savait toutefois que la fillette ne comprendrait rien de tout cela s'il tentait de le lui expliquer, se contenta de reprendre :

— Je peux essayer.

— Merci !

— J'ai promis d'essayer, rien de plus. Je n'ai pas dit que c'était possible.

— Merci quand même.

Lily retrouvait une étincelle d'espoir pour la première fois depuis la mort de son père. Il y avait si longtemps que personne n'avait rien entrepris pour elle – depuis la maladie de son père, au moins, depuis qu'Augusta l'avait reléguée au grenier. Et ça remontait à des mois et des mois… Des mois qui formaient une tour si haute que, lorsque Lily voulait se rappeler sa vie avant le grenier, sa mémoire s'amincissait et s'amincis-

sait, comme un élastique sur lequel elle tirerait et qui finirait par claquer entre les doigts.

Po n'avait pas quitté le chevet de la fillette. Soudain, il regagna le coin de la petite pièce. Sur ses talons, Balluchon poussa, à nouveau, un cri entre le miaulement et le jappement, que Lily décida d'appeler un *miauppement*.

— Tu dois faire quelque chose pour moi en échange, annonça Po.

— Entendu, répondit-elle, mal à l'aise.

Elle ignorait comment venir en aide à un fantôme, d'autant qu'elle n'avait pas le droit de quitter sa chambre. C'était, à en croire Augusta, beaucoup trop dangereux. Le monde extérieur, terrible, risquait de la dévorer toute crue.

— Que veux-tu ? demanda-t-elle.

— Un dessin, bredouilla-t-il.

Aussitôt la silhouette de Po vacilla, de gêne cette fois. Il n'avait pas l'habitude de se livrer ainsi.

Lily, soulagée par la simplicité de la requête, répondit avec enthousiasme :

— Je te dessinerai un train.

Elle adorait les trains – le bruit qu'ils faisaient

en tout cas. Dès qu'elle percevait leur sifflement et le fracas de leurs roues sur les rails, elle tendait l'oreille. Ils s'approchaient puis s'éloignaient, tels des oiseaux communiquant entre eux. Au point qu'il arrivait à Lily de confondre ceux-ci avec ceux-là et de s'imaginer un train pourvu d'ailes, capable d'emporter ses passagers dans les airs.

Po conserva le silence. Il disparut progressivement parmi les ombres familières du grenier. Tout à coup, sa silhouette absorba celle de Balluchon, puis il se fondit avec celle du bureau bancal et de la chaise à trois pieds.

Lily soupira. Elle était à nouveau seule.

Les contours de Po émergèrent alors brusquement de la pénombre. Il observa la fillette un moment avant de lâcher :

— Au revoir.

Miouaf ! miauppa Balluchon.

— Au revoir, dit Lily, même si, cette fois, Po et Balluchon étaient bel et bien partis.

DEUX

Pendant que Lily prononçait les mots *au revoir* dans sa chambre vide, un garçon à l'air éreinté, apprenti alchimiste, était posté dans la rue paisible juste en bas de chez elle. Les yeux levés vers la fenêtre obscurcie du grenier, il s'apitoyait sur son sort.

Il portait un grand manteau informe qui lui tombait bien en dessous des genoux et qui, en réalité, appartenait il y avait encore peu à quelqu'un ayant le double de son âge et de sa taille. Sous un bras, il tenait une boîte en bois – aussi grosse qu'une miche de pain, environ. Ses cheveux hirsutes, qui formaient des épis insolites, emprisonnaient des brins de paille ainsi que des feuilles mortes : la nuit précédente, alors qu'il s'était, une fois de plus, trompé dans la préparation d'une potion, l'alchimiste l'avait forcé à dormir dans la cour, avec les poules et les autres bêtes.

Ce n'était pas pour cette raison, cependant, que ce garçon qui s'appelait Will, mais répondait aussi aux surnoms de « Morveux », « Vaurien » et « Geignard » (du moins dans la bouche de l'alchimiste), s'apitoyait sur son sort.

Il s'apitoyait sur son sort parce que, pour la troisième nuit consécutive, la jolie fillette aux cheveux raides et châtains n'était pas installée devant la lucarne du grenier. Il avait l'habitude de la voir, baignée par la douce lumière dorée d'une lampe à huile, les yeux baissés sur quelque chose, comme si elle travaillait.

— Zurt ! lâcha Will, ainsi que le faisait l'alchimiste quand il était contrarié.

Et puisque Will était extrêmement contrarié, il répéta l'interjection une nouvelle fois :

— Zurt !

Il aurait pourtant mis sa main à couper – oui, à couper ! – qu'elle serait là ce soir. Ce qui expli-

quait d'ailleurs qu'il ait fait un aussi grand détour, décrivant une large boucle pour rejoindre l'avenue du Mont.

Dans le dédale de rues désertes, il avait longé des rangées de maisons éteintes dans un silence si épais et sirupeux que l'écho de ses pas y restait accroché. En route, il s'était imaginé la scène : le minuscule carré lumineux qui surgirait au détour d'un virage, tout en haut de la demeure, et le visage de la fillette, flottant telle une étoile isolée. Elle n'était pas, Will en avait acquis la conviction depuis longtemps, du genre à l'appeler autrement que par son prénom. Elle n'était ni impatiente, ni méchante, ni colérique.

Elle était parfaite.

Bien sûr, Will ne lui avait jamais parlé. Et une toute petite voix intérieure lui soufflait qu'il était ridicule de continuer à s'inventer une excuse, soir après soir, pour passer sous sa fenêtre. Il perdait son temps. L'alchimiste aurait dit que ça ne servait à rien. (Cette expression était l'une de ses préférées, et il l'utilisait pour décrire, sans distinction, les projets de Will, ses réflexions, son travail, son apparence et, plus généralement, sa personne.)

Le garçon était persuadé que, s'il avait une occasion de parler à la fille du grenier, il aurait trop peur pour la saisir. De toute façon, une telle occasion ne se présenterait sans doute pas. Elle restait tout là-haut, encadrée dans sa fenêtre ; et lui restait tout en bas, dans la rue. La vie en avait décidé ainsi.

Pourtant, chaque nuit depuis un an, depuis qu'il avait découvert ce visage en forme de cœur, c'était plus fort que lui. Il avait beau se faire la leçon à lui-même, s'efforcer de partir dans la direction opposée ou jurer qu'il garderait ses distances avec l'avenue du Mont *coûte que coûte*, ses pas le ramenaient immanquablement sur cette même portion de trottoir, juste sous la fenêtre du grenier.

Il faut savoir ceci sur Will : il était seul. Le jour, il étudiait aux côtés de l'alchimiste, qui avait soixante-quatorze ans et sentait le lait tourné. Le soir, il se chargeait des commissions de son maître et se rendait dans les recoins les plus sombres et les plus désolés de la ville. Avant de découvrir la fille à la fenêtre, il avait parfois passé des semaines entières sans croiser un seul être humain à l'exception de l'alchimiste et des personnes étranges, voûtées, difformes et désespérées à qui il avait affaire à l'heure où le reste de la ville dormait. Avant de connaître cette fille, il évoluait dans une obscurité si visqueuse qu'elle l'étouffait.

Les nuits étaient glacées et humides. Il ne parvenait jamais à chasser le froid qui pénétrait ses os, même s'il s'installait près du feu à son retour chez l'alchimiste.

Il se souviendrait toujours du soir où il l'avait vue pour la première fois. En tournant à l'angle de l'avenue du Mont, il avait aperçu une minuscule lucarne tout en haut d'une énorme maison blanche qui, avec ses balcons, enjolivures et motifs, évoquait un gros gâteau à la crème. Et, par cette lucarne, la petite flamme d'une lampe à huile, ainsi que le visage d'une fillette. Will s'était aussitôt senti réchauffé par cette vision. Depuis, il l'avait contemplée toutes les nuits.

À l'exception des trois dernières, où la fenêtre était restée noire.

Will fit passer la boîte de son bras gauche à
son bras droit. Il se trouvait sur ce trottoir depuis
un moment, et celle-ci commençait à peser. Il
ne savait pas quoi faire. Il redoutait que quelque
chose de grave soit arrivé à la fille. Et il avait
l'étrange sentiment qu'il ne pourrait pas se le
pardonner si c'était le cas – alors qu'il ne lui avait
jamais adressé la parole.

Il observa le perron en pierre et la porte à
deux battants, au-delà de la grille en fer forgé du
31, avenue du Mont. Il envisagea même de franchir ce portail, de gravir les quelques marches et
de soulever le lourd heurtoir métallique.

— Bonjour, dirait-il, je m'inquiète pour la
fille dans le grenier.

— Bon à rien, observerait l'alchimiste.

— Bonjour, dirait-il. Lors de mes promenades nocturnes, je n'ai pas pu m'empêcher de remarquer la fille qui vit au dernier étage. Jolie, avec un visage en forme de cœur. Je ne l'ai pas vue depuis plusieurs jours et je voulais m'assurer que tout allait bien. Pouvez-vous lui dire que Will est passé prendre de ses nouvelles ?

— Pathétique, observerait l'alchimiste. Pire même. Tu es aussi ridicule qu'une grenouille essayant de se transformer en pétale de fleur…

Alors qu'à l'évocation de son maître Will sentait son esprit exténué gagné par la confusion, un miracle se produisit.

La lumière du grenier s'alluma et le visage de Lily apparut soudain dans le halo doré. Comme toujours, elle avait le regard baissé. Et, comme toujours, Will se prit à rêver qu'elle était en train de lui écrire une lettre.

Cher Will, dirait-elle. *Merci de te placer sous ma fenêtre toutes les nuits. Nous ne nous sommes jamais parlé, mais ça ne m'empêche pas de mesurer tout ce que tu fais pour moi…*

Il savait évidemment que ça n'était pas possible, parce que 1) la fille du grenier ne connaissait pas son prénom, et 2) elle ne pouvait sans doute pas le discerner dans ce noir d'encre. Pourtant, le simple fait d'imaginer qu'elle lui écrivait le remplissait d'un bonheur immense. Un bonheur qu'il n'avait pas de mots pour décrire, un bonheur qui ne ressemblait pas à ceux qu'il connaissait – manger quand il avait faim ou, plus rarement, dormir quand il avait sommeil. Ce bonheur n'était même pas comparable à celui de contempler les nuages ou de faire la course contre lui-même. Ce sentiment-là était à la fois plus léger et plus satisfaisant.

Will se rappela soudain un souvenir auquel il n'avait pas pensé depuis une éternité. C'était avant son adoption par l'alchimiste. Il rentrait à l'orphelinat après l'école, et il avait vu Kevin Donnell pousser une jolie porte peinte.

Il neigeait et le jour déclinait déjà. Au moment de dépasser la maison de Kevin Donnell, Will avait aperçu, par la porte ouverte, la silhouette rassurante d'une femme. Une odeur de viande et de savon lui avait chatouillé les narines, puis une douce voix lui avait chantonné : « Entre, tu dois être gelé… » La douleur qui lui avait transpercé le cœur avait été si fulgurante qu'il avait observé tout autour de lui, convaincu d'avoir été poignardé.

En observant la fille du grenier, il retrouvait une sensation comparable. Mais sans la douleur.

À cet instant, Will se fit la promesse de ne jamais laisser quelque chose de grave arriver à cette inconnue. Ce serment fut aussi sérieux que subit : il ne pourrait supporter qu'elle souffre. Il avait le vague pressentiment que si elle était malheureuse il le serait aussi.

Les cloches de l'église sonnèrent tout à coup, faisant voler en éclats le calme. Will sursauta. Deux heures du matin déjà ! Il avait quitté le laboratoire de l'alchimiste depuis plus d'une heure et il n'avait pas encore accompli ses missions.

« Va directement chez la comtesse Prima Donna, lui avait-il ordonné en lui remettant la boîte en bois. Ne t'arrête sous aucun prétexte en chemin. Donne-lui ceci. Ne laisse personne d'autre voir ce coffre ou le toucher. La poudre que tu transportes est précieuse ! Unique ! Je ne m'étais jamais essayé à une magie aussi puissante. »

Will avait étouffé un bâillement avant de se composer une mine sérieuse. Chaque fois que l'alchimiste fabriquait une nouvelle potion, il en parlait comme de sa plus grande réussite. Le garçon ne se laissait plus impressionner.

S'en rendant compte, l'alchimiste avait grommelé : « Bon à rien… » Puis il s'était renfrogné et avait remis à Will une liste d'ingrédients à récupérer chez M. Morose, après avoir livré le colis.

Or deux heures venaient de sonner, et Will ne s'était présenté ni chez la comtesse Prima Donna, ni dans l'échoppe de M. Morose. Il prit aussitôt une décision. La comtesse vivait à l'autre bout de la ville, près du laboratoire de l'alchimiste, alors que l'entrepreneur des pompes funèbres travaillait à quelques pâtés de maisons de là. Si Will se chargeait d'abord de livrer la poudre, il devrait traverser toute la ville, dans un sens puis dans l'autre, et il ne pourrait pas dormir plus d'une

heure à son retour. Vraiment, ce n'était pas raisonnable d'être venu observer la fille du grenier. C'était même absurde. Pourtant, il n'éprouvait pas une once de remords. En vérité, il ne s'était pas senti aussi bien depuis des jours.

Oui, sa résolution était arrêtée. Il irait d'abord chez M. Morose, puis il remettrait la boîte à la comtesse sur le chemin du laboratoire. L'alchimiste n'en saurait rien. Surtout que cette poudre ne devait consister qu'en une poussière magique des plus ordinaires, servant à guérir les verrues, faire pousser les cheveux ou améliorer la mémoire.

Will plongea la main dans sa poche et en sortit la liste griffonnée à la hâte par son maître. Rien de très inhabituel : poils d'une barbe de défunt, rognures d'ongles, deux têtes de poulets, un œil de grenouille aveugle.

Oui, conclut Will, en jetant un dernier regard à la lucarne. Les commissions d'abord, la magie ensuite.

Tout en haut dans sa chambre, Lily dessinait un train ailé.

TROIS

À l'extrémité d'une minuscule rue venteuse et au pied d'une volée de marches abruptes se trouvait un panneau :

ÉCHOPPE DE M. MOROSE
Pompes funèbres,
détaillant de parties humaines et animales
~ Depuis 1885 ~

Et derrière ce panneau, son propriétaire se rongeait les sangs.

Pour la quatrième fois en deux semaines, M. Morose était à court d'urnes funéraires. Les gens mouraient trop vite, tout le problème venait de là. Si seulement ils pouvaient cesser de rendre l'âme, ne serait-ce que quelques jours, les fabricants d'urnes et de cercueils auraient le temps de rattraper leur retard…

Il se caressa le menton d'un air songeur. Et s'il demandait au maire de déclarer les décès hors la loi pendant une semaine ? Ou d'imposer un impôt sur les défunts ? M. Morose secoua la tête. Non, non, c'était impossible.

Il connaissait assez la mort pour savoir qu'on ne pouvait pas lui graisser la patte, la circonvenir ou la retarder. Il avait passé toute sa vie dans les chambres froides au sous-sol de l'entreprise de pompes funèbres de son arrière-arrière-arrière-grand-père. Enfant, il jouait avec les dents en or des morts, les faisant tourner telles des toupies sur le carrelage et regardait la lumière se refléter dessus. Plus tard, il avait été fabricant de pierres tombales, fossoyeur, bourreau, puis momificateur.

À présent, il s'en tenait aux choses les plus simples : crémation et inhumation. Le corps du mort était soit placé dans un beau cercueil en bois tapissé de soie noire, soit dans un four cré-

matoire. Auquel cas, M. Morose récoltait ensuite les cendres dans une jolie urne, que l'on pouvait exposer sur le manteau d'une cheminée, sur une étagère ou sur une table de chevet. Son grand-oncle, par exemple, se trouvait dans une urne modèle 27 (style grec) au-dessus de la cuisinière ; sa mère, dans une urne modèle 4 (style rococo) sur le rebord de la fenêtre donnant sur la rue ; et son père, dans une urne modèle 12 (style sobre), juste à côté de sa mère. M. Morose aimait se sentir entouré de sa famille.

Bien sûr, il continuait à faire quelques affaires à côté : des bricoles, genre rognures d'ongles, poils et autres. Ce commerce nocturne était alimenté par ces restes humains, et M. Morose cédait de bon cœur les parties des cadavres, desséchées et ratatinées, qui lui tombaient sous la main.

Secouant la tête, il se mit à farfouiller dans le placard sous l'évier de la cuisine, à la recherche d'une boîte vide où il pourrait ranger les restes d'un certain John C. Smith, heureux propriétaire d'un bar et qui était arrivé chez lui le matin même.

Trois jours plus tôt, il avait été contraint de sacrifier le vieux coffret à bijoux de sa mère. Celui-ci trônait à présent sur la table de la cuisine, rempli de cendres. M. Morose se reprochait son geste, mais il ne pouvait tout de même pas envoyer à la veuve Lantonnelle les cendres de feu son époux dans un carton de céréales, ainsi qu'il l'avait fait avec Mme Kittel en début de semaine... Il fallait dire que Mme Lantonnelle l'avait payé si grassement et si rapidement pour la crémation de son mari...

M. Morose soupira. Pourquoi les gens ne pouvaient-ils pas cesser de mourir ? Rien qu'une semaine ! Il en était sûr, il n'avait pas besoin de davantage...

Toc-toc-toc...

Trois coups discrets tirèrent l'homme de ses pensées. Il s'approcha de la fenêtre crasseuse pour jeter un coup d'œil dans la rue étroite. Il n'aperçut qu'une touffe de cheveux sombres, par le carreau le plus bas. L'apprenti de l'alchimiste : Billy, Michael ou un nom du genre... M. Morose ne parvenait pas à le retenir. Les enfants se res-

semblaient tous à ses yeux : insaisissables et gluants, ils étaient comme des méduses à pattes. Et il faisait son possible pour les éviter.

Il ouvrit pourtant la porte de son échoppe.

— Bonsoir, dit Will d'un ton nerveux, tandis que M. Morose le toisait de toute sa hauteur.

Le garçon fit passer la boîte contenant la poudre magique sous son bras droit – à force de la serrer, il commençait à avoir des crampes – et remit à M. Morose la liste que l'alchimiste lui avait confiée.

— Voici ce qu'il me faut, s'il vous plaît.

Le long visage émacié de M. Morose s'allongea et s'émacia encore plus lorsqu'il prit connaissance des différents ingrédients.

— Entre, finit-il par dire en s'effaçant.

L'odeur assaillit le garçon dès qu'il franchit le seuil de la petite pièce qui servait de cuisine, d'atelier et de salon de réception. Malgré la fréquence de ses visites, Will ne s'y habituait pas : des effluves amers et piquants, mêlés à un parfum plus organique, comme si on avait allumé un feu au beau milieu d'une écurie pleine de crottin. Il fit mine de se gratter le nez et respira la manche de son manteau.

M. Morose ne parut rien remarquer. Il examinait toujours la feuille de l'alchimiste, tout en grommelant :

— Oui… Très bien… D'accord…

Et encore :

— Ah, deux têtes de poulets, je ne sais pas…

Et aussi :

— Des poils d'une barbe de défunt ? Je dois avoir une moustache quelque part…

Il releva enfin la tête en se caressant le menton et dit tout haut :

— Tu ferais bien de t'asseoir, je risque d'en avoir pour un moment.

— Merci, répondit Will, qui n'avait aucune envie de prendre place à la table de M. Morose, envahie de bocaux au contenu mystérieux et de produits chimiques malodorants.

Le garçon obtempéra néanmoins, ne tenant pas à le mettre en colère – il avait toujours eu un peu peur de lui –, et ses pieds avaient bien besoin de se reposer un instant. Il posa la boîte conte-

nant la poudre magique sur la table, à côté d'une autre qui, malgré des dehors inoffensifs, contenait sans doute des cœurs de poulets ou quelque chose de tout aussi répugnant.

M. Morose disparut dans une pièce adjacente, dans laquelle il s'activa avec fracas, tout en maugréant :

— Où ai-je donc mis ça ?

Et :

— J'aurais pourtant juré que…

Will s'efforça de ne pas promener son regard autour de lui. Lors d'une de ses premières visites dans la petite boutique, il avait commis l'erreur de s'approcher d'un immense bocal en verre, de ceux dans lesquels on conservait des cornichons… pour se retrouver nez à nez avec des globes oculaires. Depuis, il écoutait toujours la voix de la raison, et cette voix lui déconseillait d'explorer l'atelier. Pour s'en empêcher, il gardait le regard rivé sur les flammes qui dansaient dans l'énorme four et projetaient des ombres bondissantes sur les murs.

Will avait beau savoir que ce four servait à

brûler des corps, il les trouvait jolis, ces rubans bleus, rouges et blancs, qui s'enroulaient derrière la grille… Des couleurs qu'on ne voyait presque plus… Ses paupières devenaient de plus en plus lourdes, et sa tête basculait en avant. La nuit était si longue…

Soudain, Will se retrouva à escalader une longue tresse soyeuse, où des fils colorés se mêlaient aux cheveux. Il montait vers le ciel, où un train à vapeur l'attendait, haletant. De sa cheminée s'échappait un panache de fumée qui se confondait avec les nuages. Bizarrement, ce train avait de grandes ailes à plumes comme celles d'un gigantesque oiseau. La locomotive et les wagons étaient peints de couleurs vives, que Will n'aurait pas su nommer pour la plupart. Par l'une des vitres, il aperçut la fille du 31, avenue du Mont, qui agitait la main dans sa direction. Elle lui disait quelque chose – l'appelait-elle par son nom ? Non, elle prononçait le sien… Armelle… Carmen… ou…

— Hum ! hum !

Réveillé en sursaut, Will ouvrit les yeux sur M. Morose ; il tenait un petit sac en toile, dont dépassaient plusieurs objets enveloppés dans du papier.

— Et voilà ! s'exclama-t-il en le tendant au garçon. J'ai fait de mon mieux. Dis à Merv (c'était le prénom de l'alchimiste et personne à part M. Morose ne l'utilisait) que je n'ai pas une seule tête de poulet pour lui. Mme Finnegan est passée hier et elle a pris toutes celles qui me restaient. Elle en avait besoin pour préparer de la soupe.

— Mm-mm, d'accord, répondit Will avant de se relever sur des jambes mal assurées.

Sonné par le réveil brutal, il avait du mal à dissiper les brumes du sommeil. Il jeta les commissions sur son épaule. Des effluves de poisson séché montèrent du fond du sac en toile. Il récupéra la boîte en bois sur la table, qui lui parut encore plus lourde qu'au début de la nuit.

— Merci.

— À la prochaine fois, dit M. Morose, soulagé de voir s'éloigner le garçon, qui chancelait sous le poids du sac.

Ce gamin ressemblait décidément à une méduse, songea-t-il avec désapprobation. Il était aussi pâle que ces bestioles et vous glissait entre les pattes. Un jour, avec un peu de chance, le monde serait débarrassé des enfants. Peut-être pourrait-il demander au maire…

Il secoua de nouveau la tête en soupirant. Non, non, non. Ça ne marcherait pas. La vie était ainsi faite : on naissait, on devenait un enfant, puis un adulte, et ensuite on mourait. M. Morose lui-même avait été enfant il y a longtemps, même s'il n'en gardait que peu de souvenirs – déjà à l'époque il portait des costumes noirs et des cravates. Ses professeurs de CP l'appelaient d'ailleurs par son nom complet : Monsieur Morose.

Il resta planté au milieu de la pièce le temps de se rappeler ce qu'il faisait avant d'être distrait par la visite du jeune apprenti. Ah, oui ! Il cherchait une boîte pour les restes de M. Smith. Il se remit à fouiller dans le placard sous l'évier et extirpa du bric-à-brac une boîte à café vide.

Pendant qu'il essuyait la boîte avec une éponge, M. Morose fut frappé par l'étrangeté de tout cela. La profondeur du mystère de l'existence. On naissait. On vivait. Et on finissait dans une boîte à café.

— Bien, bien, conclut-il à haute voix. Ainsi vont les choses. La vie est une drôle d'aventure.

Dont la mort constituait le dénouement.

Sur la table encombrée, une étincelle s'échappa du petit coffre en bois qui renfermait la poudre magique et ressemblait presque parfaitement à la boîte à bijoux de feue Mme Morose. Mais M. Morose, qui lui tournait le dos, n'en vit rien.

Dehors, dans le dédale sombre de rues endormies, l'apprenti de l'alchimiste filait vers la comtesse Prima Donna. Il était chargé d'un coffret à bijoux contenant les cendres du père de Lily Lantonnelle.

Coïncidences, confusions, erreurs innocentes et inversions… Ainsi naissent les histoires.

M. Morose avait raison au fond : la vie est une drôle d'aventure.

QUATRE

La nuit suivant celle où Lily avait aperçu, pour la première fois, le fantôme et son animal familier, ils refirent leur apparition. Cette fois, elle les attendait.

— Alors, tu l'as vu ? Il est de l'Autre Côté ? demanda-t-elle d'une traite, dès qu'elle vit la silhouette de Po vaciller dans un coin de la chambre.

— Éteins, s'il te plaît, lui répondit-il.

Po aimait la lumière – pour être honnête, il souffrait même terriblement d'en être privé la plupart du temps –, mais il n'y était plus habitué. Surtout que les rares fois où l'éclat vif d'une lampe lui parvenait de l'Autre Côté, il était filtré par plusieurs couches d'existence, tel un rayon de soleil déformé par un voile d'eau.

Les choses étaient très différentes du Côté des Vivants, quand la lumière vous éblouissait de toute sa puissance.

Po n'avait pas plus de tête, à proprement parler, qu'il n'avait d'yeux : autrement dit, il n'était pas menacé par la migraine. Pourtant, une douleur vibrante s'éveilla en lui.

Impatiente d'avoir des nouvelles de son père, Lily trouva néanmoins le courage de se lever pour aller éteindre. Étonnamment, elle voyait mieux Po et Balluchon dans la pénombre. Leurs contours semblaient plus précis, la matière qui les constituait, plus dense.

— Alors ? insista-t-elle, les mains tremblantes.

Son cœur battit douloureusement la chamade dans sa poitrine, *boum boum boum*, pendant qu'elle attendait la réponse du fantôme.

— Tu ne m'as pas dit bonjour, répliqua Po.

— Quoi ?

— Tu m'as expliqué que les gens du Côté des Vivants se saluaient toujours. Et tu ne l'as pas fait.

À la façon dont le fantôme s'estompait, Lily comprit qu'elle l'avait blessé.

— J'ai oublié, rétorqua-t-elle d'un ton sec.

Elle aurait pu étrangler Po s'il avait eu une tête, un cou ou un corps.

— On a conclu un marché, ajouta-t-elle. Tu te souviens ? Tu avais promis de chercher mon père !

— Je me souviens, se contenta-t-il de répondre.

Lily prit une profonde inspiration. Elle avait compris que si elle perdait son calme, le fantôme risquait tout bonnement de disparaître. Elle recommença donc à zéro.

— Bonjour, dit-elle.

— Bonjour.

— Comment vas-tu ?

— Je suis fatigué.

Po avait parcouru les pistes infinies du temps depuis sa rencontre avec Lily, la veille. L'éternité s'étalait tel un désert dans l'univers ; c'était un endroit où le temps s'apparentait aux oasis du Sahara : il était si rare qu'on n'en trouvait que quelques îlots perdus dans l'immensité du sable. Po avait arpenté des mers froides et noires, où les âmes se blottissaient les unes contre les autres, des tunnels obscurs, qui menaient directement au cœur du Grand Tout et qui étaient interminables.

Ne pouvant pas en parler à Lily, il répéta simplement :

— Je suis très, très fatigué.

— Ah ?

La fillette s'enfonça les ongles dans les paumes. Elle brûlait d'envie de reposer la question au sujet de son père, mais elle devait penser à ses bonnes manières.

— Tu as eu une longue journée ? s'enquit-elle.

Elle eut l'impression que le fantôme éclatait de rire, avant de se rendre compte que c'était sans doute un courant d'air qui avait fait bruisser les feuilles sur son bureau.

— Plus longue que longue, dit-il. Éternelle.

Ne sachant pas que Po parlait d'éternité en connaissance de cause, Lily trouva sa remar-

que idiote. Elle se retint pourtant de lui en faire part.

— Je suis désolée pour toi, articula-t-elle à contrecœur, car elle brûlait de lui hurler : « Dis-moi ce que tu as appris au sujet de mon père ! Dis-le-moi tout de suite ou je te tuerai une seconde fois ! Et tu deviendras un double fantôme ! »

— Ça veut dire quoi ? Ça veut dire quoi que tu es désolée ?

Lily réfléchit avant de répondre :

— Ça veut dire… Ça veut dire ce que ça veut dire. Ça veut dire que j'ai de la peine. Que j'aimerais pouvoir faire en sorte que tu ne sois plus fatigué.

Po bascula en avant, tête la première, puis se redressa ; ce qui ne chassa pas sa perplexité.

— Mais pourquoi voudrais-tu faire quelque chose pour moi ?

— C'est une expression, répliqua Lily avant de se creuser les méninges pendant une minute. On a besoin de partager ses sentiments avec les autres. Sinon, on se sent trop seul.

Po surgit brusquement à ses côtés. Balluchon

les rejoignit et grimpa sur les genoux de la fillette. Elle n'apercevait que vaguement ses contours et il ne dégageait aucune chaleur, pourtant elle sentait sa présence. C'était difficile à expliquer : un peu comme si, à cet endroit, l'obscurité avait acquis une texture différente, se transformant en brassée de velours.

— Tu as pensé à mon dessin ? demanda Po.

Lily avait tracé un train doté de grandes ailes, telles celles des moineaux qu'elle apercevait sur les toits, par sa lucarne. Elle tendit la feuille au fantôme puis, se rappelant qu'il n'avait pas de mains pour la prendre, la lui montra. Il l'observa pendant une ou deux minutes.

Satisfait par ce qu'il voyait, il finit par dire :

— J'ai trouvé ton père. Il est de l'Autre Côté.

Balluchon poussa un cri entre le miaulement et le ronronnement.

Lily, elle, hésitait entre le soulagement et le chagrin ; elle éprouvait un mélange des deux sentiments, une sensation terrible comme si deux lames la transperçaient en des endroits différents.

— Tu es… sûr de toi ? C'était bien lui ?

— Je suis sûr, répondit Po, avant de dériver tel un banc de brume vers le centre de la pièce.

— Tu... tu lui as parlé ? Tu lui as parlé de moi ? Tu lui as dit qu'il me manquait ? Tu lui as dit au revoir de ma part ?

— On n'a pas eu assez de temps.

Lily crut percevoir une nuance particulière dans son ton. De la tristesse, peut-être.

Po était triste, en effet. Il savait que, sur les immenses océans de temps qui l'encerclaient de toutes parts, il n'y avait jamais assez d'instants pour accomplir les choses qu'on avait besoin de dire ou faire. Il ne pouvait pourtant pas l'expliquer à Lily.

La fillette avait les yeux brillants. Même triste elle semblait pleine d'espoir. Au point qu'elle rayonnait, comme éclairée de l'intérieur par une lampe.

Hésitant à parler, elle finit par demander :

— Ça veut dire quoi ? Pourquoi est-il de l'Autre Côté ? Enfin, pourquoi n'est-il pas... parti dans l'Au-Delà ?

Po haussa les épaules.

— Il y a plusieurs explications possibles. Il est peut-être toujours… attaché au Côté des Vivants. Il se peut qu'il attende quelque chose.

— Qu'il attende quoi ?

Lily était sur le point d'exploser. Elle ne supportait pas de rester dans l'ignorance ; elle ne supportait pas de ne pas pouvoir interroger directement son père. Un poids lui écrasait la poitrine, elle avait envie de se rouler en boule, de fermer les yeux et de s'endormir. Mais le fantôme était là, qui l'observait.

Po se rappela l'homme qui était passé devant lui en traînant les pieds, parmi la file interminable de nouveaux arrivants. Il était aussi ébouriffé que s'il avait été réveillé en sursaut au beau milieu de sa sieste. Il s'adressait à l'âme qui faisait la queue juste derrière lui, lui répétant en boucle la même histoire. Une manie des jeunes défunts. Ils continuaient à se servir de leur voix pour communiquer. Ils n'avaient pas encore appris à se passer de mots. Ils ne connaissaient pas encore le langage des régions les plus profondes de l'univers, la mélodie muette des sphères.

— Il a mentionné un saule pleureur, dit Po. Au bord d'une mare. Il a exprimé le désir d'y retourner.

Le cœur de Lily se serra aussitôt. Elle mit quelques instants à retrouver l'usage de sa langue, et elle explosa :

— Tu ne mens pas, alors ! Tu l'as vraiment vu.

— Bien sûr que je ne mens pas.

Les contours de Po lancèrent des étincelles.

— Les fantômes ne mentent jamais, poursuivit-il. Nous n'avons aucune raison de le faire.

Ne remarquant pas qu'il avait été vexé, Lily reprit :

— Je me souviens du saule pleureur et de la mare. C'est là que ma mère est enterrée. On y allait avant… avant…

La fillette ne réussit pas à terminer sa phrase. «Avant que mon père rencontre Augusta. Avant que nous emménagions à Funest. Avant qu'il tombe malade. Avant qu'Augusta m'enferme dans le grenier.» Elle avait presque oublié qu'il y avait eu un avant.

À présent les souvenirs lui revenaient. Les yeux clos, elle entreprit de descendre le long de l'immense colonne, constituée de tous ses mois de réclusion dans le grenier, pour regagner des endroits de sa mémoire si sombres et poussiéreux qu'elle n'apercevait son passé que par bribes. Là ! Son père la faisant asseoir à l'ombre du saule pleureur, tandis que des motifs verts dansaient sur son visage. Et là ! Lily appuyant sa joue sur la mousse veloutée qui recouvrait la tombe de sa mère. Et là ! Si elle se concentrait assez pour descendre encore les méandres de sa mémoire, elle retrouvait les yeux bleus de son père, son regard bon, son étreinte puissante et rassurante, sa voix qui lui chuchotait à l'oreille : « Un jour, je reviendrai ici, à côté de ta mère. »

— Le soleil brillait encore à l'époque, dit-elle tout haut.

Il y avait longtemps qu'elle n'avait pas prononcé ce mot. « Soleil ». Il avait un goût étrange et vaporeux.

La fillette avait interrompu le compte depuis belle lurette ; autrement, elle aurait su que le soleil n'avait pas pointé le bout de son nez depuis mille sept cent vingt-huit jours. À l'époque, les nuages s'étaient installés dans le ciel, comme si souvent auparavant. Ça n'avait inquiété personne. Ils se dissiperaient sans doute le lendemain, ou le sur-lendemain, voire le jour d'après.

Cependant, ils n'avaient pas bougé d'un pouce en mille sept cent vingt-huit jours. Il arri-vait qu'il pleuve. En hiver, il y avait de la grêle et de la neige. Mais le soleil, lui, ne se montrait plus jamais.

Avec le temps, l'herbe s'était rabougrie avant d'être remplacée par de la terre poussiéreuse. Les fleurs s'étaient desséchées, puis retirées dans le sol, graines qui ne germeraient plus. Le monde entier, y compris ses habitants, avait été repeint d'un gris terne – cette nuance verdâtre qu'a la bouillie de légumes. Seules les pommes de terre poussaient encore. Et la famine avait gagné la planète entière.

Même les riches, qui mangeaient pourtant bien, ne parvenaient pas, pour une raison inex-plicable, à la satiété. Ils se réveillaient avec au ventre une faim si violente qu'elle les paralysait, les faisait se plier en deux tout en leur arrachant des cris de douleur.

— C'était il y a longtemps, dit Po.

— Encore plus longtemps que ça.

Lily avait à nouveau le cœur gros. Elle se récita trois fois le mot *ineffable*, détachant bien chaque syllabe dans sa tête et s'attardant sur les douces pentes du *f* redoublé, qui lui rappelait la crème fouettée de sa petite enfance. Sa peine en fut un peu allégée.

— Ils l'ont ramené ici aujourd'hui, tu sais, observa-t-elle. J'ai entendu les domestiques parler.

Lily désigna le radiateur dans le coin. Quand elle se sentait trop seule, elle s'allongeait à côté et collait son oreille sur le plancher. Un petit trou y avait été pratiqué pour permettre au tuyau d'eau de passer d'un étage à l'autre. Grâce à lui, elle entendait souvent deux des domestiques de sa belle-mère, Tessie et Karen, discuter dans leur chambre, juste en dessous de la sienne.

— Ils ont emporté son corps pour le brûler,

puis ils ont recueilli les cendres dans une boîte en bois. Karen est allée la chercher aujourd'hui, chez M. Morose. Ils comptent enterrer la boîte dans le jardin.

Submergée par ses émotions, Lily ferma les yeux, puis les rouvrit sur deux lunes rondes, qui la fixaient sans ciller. Balluchon n'avait pas quitté ses genoux et l'observait attentivement.

— Si tu le revois, pourras-tu lui transmettre un message de ma part ? demanda-t-elle à Po.

— Les chances qu'une chose pareille se produise sont infimes, répondit-il.

Le fantôme ne voulait pas qu'elle nourrisse de faux espoirs. Il ne reconnaîtrait peut-être même pas le père de Lily s'il le croisait à nouveau. Celui-ci ne se reconnaîtrait peut-être pas lui-même. Ses contours pourraient s'être déjà estompés, sous l'effet des assauts de l'infini, semblable à une vague entraînant inlassablement le sable du rivage. Il pourrait avoir entamé le processus pour devenir une partie du Grand Tout. Il commencerait à sentir l'électricité des étoiles lointaines, qui pulseraient en lui comme les battements de son cœur. Il sentirait aussi le poids des anciennes planètes sur ses épaules, et les vents en provenance des coins les plus reculés de l'univers.

— Les chances sont infimes mais pas inexistantes, rétorqua Lily.

Elle avait raison. Rien dans ce monde n'est absolument impossible, et Po le savait. Il décrivit une pirouette dans les airs, et la fillette en déduisit, à juste titre, qu'il partageait son avis.

— Dis-lui… commença-t-elle avant de se rendre compte qu'elle avait la gorge nouée et était incapable de poursuivre.

Les choses qu'elle voulait dire et demander la débordaient, et elle se refusait à pleurer devant quiconque, surtout un fantôme.

— Dis-lui qu'il me manque, finit-elle par lâcher.

Elle enfouit ensuite son visage dans la manche de sa chemise de nuit.

— Entendu, convint Po. Si tu me fais un autre dessin.

La fillette hocha la tête.

— Au revoir, lui souffla-t-il.

Balluchon disparut.

— Attends! s'écria-t-elle, redoutant de se retrouver à nouveau seule. Mon père a-t-il dit autre chose? Quoi que ce soit?

Elle levait vers Po un visage illuminé par l'espoir, d'un éclat aussi vif que celui du soleil qui n'avait pas brillé depuis si longtemps.

— Il a dit que tu lui manquais. Et il a dit «au revoir».

Lily poussa un petit cri; de joie ou de tristesse, Po n'aurait pu trancher. Il ne resta pas pour éclaircir ce mystère. Il avait déjà passé assez de temps loin de chez lui et se laissa glisser dans la douce profondeur de l'Autre Côté, non sans une forme de soulagement.

Il lui avait suffi de deux petites visites du Côté des Vivants pour redevenir un peu humain. Pour se souvenir comment mentir.

CINQ

Cette même nuit, l'apprenti de l'alchimiste se faufilait, une fois de plus, dans le dédale sombre et silencieux de la ville. Sauf qu'il devait presser le pas pour suivre la cadence de son maître. Il resserra les pans de son manteau trop grand et baissa la tête pour lutter contre les assauts du vent farouche et glacial. L'hiver était arrivé, il n'y avait aucun doute là-dessus. De la neige fondue cisaillait les joues de Will, tels des éclats de verre.

Faisant volte-face, l'alchimiste le houspilla :

— Plus vite !

Une goutte lui pendait au bout du nez ; elle tremblota avant de lui remonter dans la narine gauche.

— La comtesse Prima Donna n'aime pas attendre.

Will essaya de forcer l'allure, mais ses pieds étaient comme prisonniers d'énormes blocs de glace. Ce n'était pas juste dû au froid. Son corps entier lui paraissait alourdi, du sommet du crâne à l'extrémité des orteils. Même ses cheveux pesaient plus que d'ordinaire.

L'explication tenait en quelques mots : il était exténué. La veille, il était rentré à près de quatre heures du matin après avoir livré la comtesse. Et l'alchimiste l'avait réveillé à six heures trente d'un coup de pied dans les côtes. Will n'avait pas entendu son réveil : il était censé être à prêt à travailler dès six heures et nourrir les énormes poissons-chats aux yeux globuleux qui vivaient dans le bassin d'eau croupie derrière la maison de l'alchimiste. Il avait passé le restant de la journée à broyer des yeux de vaches, à remplir des fioles de sang de lézard, puis à préparer des mixtures et des étiquettes, sous l'œil critique de son maître. Le travail de Will ne semblait jamais le satisfaire : le sobriquet d'« incapable » avait été

prononcé soixante-sept fois rien qu'entre seize et dix-huit heures. Un record.

Enfin, à vingt-trois heures trente, alors que Will s'allongeait sur son petit matelas – sans course, ni livraisons à effectuer pour une fois –, un messager avait frappé un coup sec à la porte. L'alchimiste était attendu chez la comtesse Prima Donna de toute urgence. D'une voix frémissant d'émotion, celui-ci avait observé, après le départ du garçon de course :

— Enfin ! Le moment que j'ai attendu toute ma vie arrive enfin ! Mon talent va être reconnu. Tu vas voir. Tout ça grâce à la poudre que je lui ai concoctée.

Jetant un coup d'œil dans la direction de Will, il avait ajouté :

— Et tu vas en être témoin. Tu dois m'accompagner pour prendre des notes. Ainsi, quand ma notoriété sera mondiale, nous aurons une trace de mon heure de gloire.

Voilà pourquoi Will se retrouvait à retourner pour la deuxième fois en vingt-quatre heures chez la comtesse.

— Plus vite ! hurla l'alchimiste sans se donner la peine de jeter un seul regard à son apprenti, cette fois. Qu'est-ce qui ne tourne pas rond chez toi ? Tu as oublié comment on marche ? Incapable !

Ses godillots claquaient si fort sur le bitume que, à son passage, plusieurs enfants profondément endormis virent leurs rêves envahis par des pics à glace, des lames ou des vitres brisées.

L'alchimiste peinait à contenir son excitation. S'il n'avait tenu qu'à lui, il se serait fait pousser des ailes pour voler jusqu'à la comtesse. Même si c'était impossible. Les serres de faucons étaient presque introuvables désormais, et celles de pigeons, plus abordables, ne se révélaient pas très efficaces. La seule fois où il avait préparé une potion avec cet ingrédient, le résultat n'avait guère été convaincant : deux longues plumes flasques étaient sorties des omoplates du client.

Ils marchaient, donc. Ou plutôt, l'alchimiste marchait. Le garçon, lui, se traînait, centimètre après centimètre, comme une limace. Pour la cent millième fois, l'alchimiste regretta de ne pas avoir, le jour où il s'était rendu à l'orphelinat,

choisi quelqu'un d'autre. N'importe qui d'autre. Même la fille manchote aurait été plus efficace.

— Plus vite ! aboya-t-il encore.

Ce n'était que la seconde fois qu'il quittait sa masure en plus de dix ans. La première, il avait été contraint d'aller recruter un nouvel apprenti à l'orphelinat, après que le précédent avait été victime d'un malencontreux accident : une potion de transfiguration l'avait changé en souris au moment précis où le chat tigré et famélique de l'alchimiste entrait dans l'atelier. Cet apprenti-là ne valait d'ailleurs pas mieux que Will. Il lui avait compliqué la vie jusqu'à la toute fin, laissant des petits bouts de souris éparpillés dans toute la pièce. Ce simple souvenir le fit frissonner.

De façon générale, l'alchimiste ne voyait aucune raison de s'aventurer hors du périmètre confortable de sa maison et de son échoppe. Le travail était toute sa vie, et il avait pris un apprenti pour se charger des commissions indispensables. En tant que scientifique, il n'avait pas à courir aux quatre coins de la ville. Il préférait consacrer son temps aux expérimentations, à l'amélioration d'anciennes formules et à l'essai de nouvelles… avec pour objectif de réussir à maîtriser une magie plus grande, plus puissante, plus merveilleuse.

De surcroît, l'alchimiste méprisait les gens. Il les évitait le plus possible. Les autres ne le respectaient pas autant qu'il le méritait. Ils ne respectaient pas sa science. Ils le traitaient de fou ou, pire, de magicien.

Rien qu'en y pensant, il se sentit étouffer. Un magicien ? Ha ! Les magiciens étaient des clowns. Des illusionnistes, qui recouraient à des effets spéciaux – miroirs, fumée –, et animaient des goûters d'anniversaire à coups de vulgaires tours de cartes.

L'alchimiste, lui, agissait sur la réalité. Il fabriquait des potions capables de réaliser des métamorphoses. Il transformait des grenouilles en chèvres, et des chèvres en tasses de thé. Il pouvait doter les gens d'ailes ou d'une troisième jambe. Récemment, il avait mis au point une teinture qui permettait à celui qui l'avalait de devenir invisible.

Son art était un art ancien, qui se transmettait de génération en génération, par le truchement de secrets murmurés, de grimoires poussiéreux et de notes griffonnées sur des parchemins, si estompées qu'elles en étaient presque illisibles.

Il y a longtemps, lorsqu'il fréquentait encore le monde extérieur, il se ratatinait chaque fois qu'on le traitait de *magicien*, chaque fois qu'il apercevait des enfants le montrant du doigt d'un air réjoui et criant : «Fais-nous un tour de cartes ! Fais-nous celui où l'as disparaît !» Comme s'il ne valait pas plus qu'un singe savant !

Eh bien, tout cela allait changer, bientôt.

La poudre qu'il avait mise au point pour la comtesse était spéciale. Il ne s'était jamais autant surpassé, aucun doute là-dessus. Il avait perfectionné cette branche de la magie depuis des années, depuis qu'il avait découvert ces quelques lignes dans la marge d'un vieux livre de sortilèges et de potions.

Le petit poème ne comportait que trois vers, mais ses mots vibraient d'énergie. Au point qu'ils luisaient légèrement sur la page.

De la mort, le vivant reviendra,
De haut en bas,
Et l'ancien sa jeunesse retrouvera.

Sous ces quelques lignes, une note complémentaire avait été ajoutée :

LA PLUS PUISSANTE
DES MAGIES AU MONDE
(en user avec parcimonie).

La signification était limpide. Ce sortilège pouvait rendre la jeunesse aux personnes âgées et ramener les morts à la vie : un charme séculaire, dangereux et terrible.

L'alchimiste avait rencontré des difficultés pour parvenir à sa maîtrise. Rien que les ingrédients nécessaires avaient failli, dans un premier temps, le décourager. Un flocon de neige parfait ! Le rire d'un enfant ! Un après-midi d'été ! Et, le plus épineux de tous : « un rayon de soleil pur ».

Voilà qui lui avait donné du fil à retordre !

Plusieurs fois, il avait été à deux doigts de renoncer : glisser un rayon de soleil pur dans une bouteille se révélait une tâche des plus délicates et, à force de se servir dans le ciel, il avait fini, au fil des ans, par épuiser le soleil et plonger le monde dans la grisaille.

Mais il avait réussi. Au bout de cinq longues années, il avait réussi.

Et aujourd'hui, la comtesse Prima Donna allait reconnaître son génie et célébrer son chef-d'œuvre. Il deviendrait Alchimiste officiel de l'État, ou Premier Alchimiste du monde. Bref, il assisterait aux dîners officiels et distribuerait des cartes de visite où seraient imprimées en relief, sur un épais papier blanc cassé, les lettres de son nom et de son titre. Il aurait un véritable laboratoire pour réaliser ses expériences et personne, plus personne !, n'oserait le traiter de magicien.

Enfin, ils atteignirent l'immense grille en fer forgée, qui encerclait la demeure à cinq étages de la comtesse. La brume qui montait du sol masquait en partie l'immense bâtisse. De nombreuses fenêtres éclairées brillaient cependant dans le brouillard et, en les apercevant, l'alchimiste imagina aussitôt des meubles aux tissus chatoyants, des dorures et du bois sombre. Il était impatient d'entrer. La comtesse Prima Donna était une princesse dans son pays natal – l'Autriche ? la Russie ? Il ne s'en souvenait jamais… L'Allemagne ? Il faut dire qu'il avait entendu tout et son contraire. Quoi qu'il en soit, elle jouissait d'une fortune fabuleuse, et ses relations privilégiées avec le maire lui donnaient aussi un grand pouvoir.

À la grille d'entrée, un garde les arrêta. L'alchimiste était en proie à une excitation telle qu'il en bafouilla au moment de se présenter.

— Et qui vous accompagne ? s'enquit la sentinelle en désignant Will de la tête.

— Personne, répondit-il. Seulement mon apprenti.

Il était contrarié qu'on lui rappelle l'existence du garçon : il avait presque réussi à l'oublier. Il aurait vraiment préféré ne pas avoir besoin d'un témoin à son entretien avec la comtesse.

Will produisait un bruit étrange à présent, une sorte de cliquetis. L'alchimiste se renfrogna

et constata que le gamin claquait si fort des dents que celles-ci rebondissaient, tels des dés dans un gobelet en bois. Afin de garder son calme, il serra les poings et inspira profondément par le nez. Une fois son talent reconnu, il prendrait un véritable assistant, pas un asticot au rabais incapable de se tenir en public.

— Il est drôlement jeune pour être dehors à cette heure, observa le garde, d'un air simplet.

L'alchimiste comprit qu'il n'avait pas inventé l'eau tiède.

— Il est habitué, cingla-t-il.

— Il a l'air d'avoir froid.

Sa voix était teintée de reproche, à présent.

— Il devrait au moins porter un bonnet, ajouta-t-il. Ses oreilles sont aussi écarlates qu'un steak mal cuit.

— Ce ne sont pas vos affaires ! s'emporta l'alchimiste. Vous êtes là pour annoncer notre arrivée, puis nous escorter jusqu'à la demeure. Nous sommes attendus et vous nous mettez encore plus en retard ! Et je doute que vous ayez intérêt à contrarier la comtesse.

Le garde jeta un dernier coup d'œil à Will, qui mordait sa manche pour empêcher ses dents de s'entrechoquer, puis il se retira dans sa petite guérite en pierre. Il actionna un levier ; les portes métalliques s'ouvrirent avec un gémissement.

— Passez ! leur lança-t-il.

L'alchimiste et son apprenti pénétrèrent dans la cour voilée de brume.

SIX

Le garde s'appelait Mel, pour Mélasse – qui venait de l'expression : « être dans la mélasse ». Il avait écopé de ce surnom quand il était encore si petit qu'à présent il ne se souvenait plus de son véritable nom. Et il était vrai que, depuis son plus jeune âge, s'il avait un cœur grand, tendre et généreux, son cerveau tournait un peu au ralenti.

Une fois qu'il eut refermé le portail, Mel retourna à sa cahute pour retrouver le sandwich aux sardines et au beurre qu'il avait entamé ainsi que la tasse de chocolat chaud – chaque soir, il en remplissait consciencieusement un thermos étiqueté CAFÉ. Les autres gardes s'étaient moqués de ses goûts, le traitant de mauviette et de bébé, et il avait inventé ce stratagème pour siroter son chocolat en cachette.

Un bruit sec, suivi d'un miaulement grave tira Mel de ses pensées. Gauchère, sa chatte noire et blanche, venait de se glisser par la grande chatière qu'il avait pratiquée dans le mur arrière de sa guérite.

— Bonsoir, ma jolie, roucoula le garde.

Deux yeux d'un vert fluorescent se posèrent sur lui. Il prit une sardine dans son sandwich et la lui tendit. Gauchère émergea de la pénombre pour s'en saisir. Elle lécha ensuite les doigts de son maître de sa petite langue rose et râpeuse.

— Gentille fifille, dit-il avec tendresse.

Gauchère miaula une nouvelle fois avant de faire demi-tour et de filer par la chatière, qui claqua derrière elle.

Lorsque Mel eut terminé son sandwich et avalé une dernière gorgée de son délicieux chocolat chaud, il ajusta son bonnet sur ses oreilles, s'avachit légèrement sur sa chaise et s'endormit aussitôt. Il fit des songes étranges – notamment

un dans lequel une sardine, qui tenait une pois-
sonnerie, refusait de le servir. Puis il rêva, ainsi
qu'il en avait pris l'habitude, de sa sœur.

Elle portait son pyjama à rayures roses et
bleues, comme la dernière fois qu'il l'avait vue.
Sa peluche préférée était posée sur ses genoux :
un agneau miteux auquel il manquait un œil – le
rembourrage s'échappait par ce trou.

Elle était assise en tailleur sur le sol d'une
chambre, sauf que ce n'était pas la chambre de
leur enfance mais celle que Mel occupait à présent, constituée de dalles de pierre nues (il avait
dû se débarrasser du tapis infesté de puces), de
murs blanchis à la chaux et d'un petit matelas
aussi dur qu'une planche en bois.

— Salut ! lança-t-elle à Mel d'un ton désin-
volte – à croire qu'elle n'avait pas disparu depuis
près de vingt ans.

Dans ses rêves, il se laissait toujours, dans un
premier temps, déborder par ses émotions, ce
qui l'empêchait de parler. Son grand cœur fut
secoué par une sorte de convulsion. Des sentiments contraires l'assaillaient de toutes parts,

tels des lutteurs s'empoignant dans sa cage thoracique. Le soulagement de la voir en vie. La joie de la retrouver. La colère d'avoir été privé d'elle si longtemps. Le désespoir à l'idée qu'il était beaucoup plus vieux maintenant alors qu'elle était restée si jeune.

— Où étais-tu passée ? réussit-il enfin à lui demander. On t'a cherchée partout.

— Sous le lit.

Elle avait un surnom comme lui, sauf qu'elle avait récolté le sien, Bella, en étant la plus belle enfant dans un rayon de cinq kilomètres au moins.

— Sous le lit ? s'étonna Mel.

La réponse de sa sœur le plongea dans des abîmes de perplexité. Une petite voix dans un recoin de sa cervelle lui soufflait « C'est impossible », et « Tu dois rêver », mais il la chassa d'un revers de la main, telle une vulgaire mouche. Il ne voulait pas que Bella soit une illusion. Il voulait qu'elle soit réelle.

— Tout ce temps ? ajouta-t-il. Qu'as-tu mangé ?

— Gauchère m'a apporté de la nourriture !
s'esclaffa-t-elle, comme si cela tombait sous le
sens.

Juste à cet instant, la chatte traversa la pièce
en trombe, boule de fourrure tigrée aux contours
flous.

— Regarde, je vais te montrer, poursuivit-elle.

Elle lui prit la main et le força à s'agenouiller
pour regarder sous le lit. Il ne se sentait pas très à
l'aise : il était tellement plus grand qu'elle à présent ! Ils mesuraient exactement la même taille
à l'époque… Il devait lui faire l'impression d'un
géant maladroit.

— Viens, insista-t-elle en se glissant sous le
lit avant de l'inviter à la rejoindre. Il y a plein de
place !

— Je ne tiendrai jamais là-dessous, répliqua
Mel avec gêne, alors que sa sœur l'observait sans
un mot et clignait des paupières dans le noir. Tu
es vraiment restée là tout ce temps ?

Des cris étouffés montèrent soudain du rez-
de-chaussée. Leurs parents. Ils les appelaient
pour le dîner.

— Ce n'était pas si terrible, expliqua Bella avec un haussement d'épaules. Il n'y avait qu'un seul vrai problème : le froid.

Les cris se firent plus forts, plus insistants. Mel et sa sœur devaient se dépêcher. Leur mère détestait qu'ils soient en retard à la table du dîner.

— Tu avais très froid ? voulut-il savoir.

— Terriblement.

Le souffle de sa sœur formait des petits nuages désormais, et Mel constata qu'elle tremblait. Sous le lit, la température était particulièrement basse, glaciale. Bella claquait des dents.

Les voix montaient d'en dessous plus tranchantes et impatientes :

— Où êtes-vous ? Où êtes-vous passés ? Nous vous attendons pour dîner !

— Il te faudrait un bonnet, Belli-Bella, dit Mel.

À cet instant précis, il se réveilla à quatre pattes au pied non pas du lit de son rêve, mais de son bureau. Dans le noir, sous celui-ci, se tenait le garçon dont il avait fait la connaissance plus tôt dans la nuit. Pâle et hagard, le petit claquait des

dents, exactement comme Bella dans le songe de Mel.

L'esprit encore engourdi par le sommeil, le garde ne fut pas vraiment surpris.

— Bien, bien, bien… marmonna-t-il en se frottant les yeux et en bâillant. Qu'est-ce que tu fabriques…

Le garçon secoua frénétiquement la tête avant de poser un doigt sur ses lèvres. À cet instant, Mel se rendit compte que les cris qu'il avait entendus dans son rêve provenaient en réalité de l'extérieur.

Dans la cour, un homme s'époumonait :

— Où es-tu fourré, minus à la cervelle desséchée ? Quand je t'aurai débusqué, je te promets de te faire rôtir pour le dîner et de préparer un pain de viande avec tes entrailles !

Mel reconnut la voix de l'homme : celui qui avait la goutte au nez, celui qui s'était présenté comme un alchimiste.

« Hmm, songea-t-il. Servir de dîner est une perspective moins plaisante que se mettre les pieds sous la table. »

— Il ne se montrera pas si vous le menacez, intervint la comtesse Prima Donna d'un ton sec, avant d'ajouter d'une voix mielleuse : Allons, mon chéri, ce n'est rien. Tout le monde fait des erreurs. Viens nous dire où la poudre magique se trouve et tu auras droit à une jolie récompense. Peut-être une boisson chaude ou une nouvelle paire de moufles.

Les intonations caressantes de la comtesse prirent Mel au dépourvu.

— Je lui planterai un tisonnier dans le ventre ! tempêta l'alchimiste. Je ferai apparaître des limaces à la place de ses yeux !

— Vous allez vous taire à la fin ! le morigéna la comtesse.

Mel se releva et enfonça son bonnet sur ses oreilles.

— Tu vois ? murmura-t-il au garçon en désignant son couvre-chef. Il t'en faut un, toi aussi. Ça te tiendra bien chaud, je t'assure. La chaleur s'évapore par la tête, tu sais, c'est pour ça qu'il faut bien l'emmitoufler.

Le garçon pointa l'index en direction de la

cour, avant de le braquer sur lui et de secouer à toute force la tête.

— Ne t'inquiète pas, répliqua Mel avec un clin d'œil. Ton secret est bien gardé avec moi.

Il traça une petite croix sur son torse, juste à l'endroit où son énorme cœur battait, avant de sortir, d'un pas lourd, pour découvrir la cause de ce remue-ménage.

Des volutes de brume s'enroulaient autour de la comtesse et de l'alchimiste, plantés au beau milieu de la cour. Mel eut de plus en plus froid à mesure qu'il approchait de la comtesse. Pas étonnant qu'elle porte d'imposants manteaux de fourrure, qui lui remontaient jusque dans la nuque et balayaient les pavés. Le garde suspectait, en son for intérieur, qu'elle avait de la glace, et non du sang, dans les veines.

Il se força pourtant à lancer gaiement:

— Bonsoir, patronne! Puis-je vous offrir mon aide?

La comtesse tourna vers lui ses grands yeux violets, des yeux dont on disait qu'ils étaient les plus beaux de toute la ville.

— Nous cherchons un garçon, répondit-elle sèchement. En avez-vous vu un ?

— Un garçon ? répéta-t-il.

Il glissa un doigt sous son bonnet pour se gratter la tête. C'était le genre de situation où sa réputation d'idiot se révélait utile.

— Oui, un garçon ! s'emporta l'alchimiste. Le garçon qui m'accompagnait. Ce minable perfide et diabolique…

Laissant la fin de sa phrase en suspens, il reprit dans un gémissement :

— Il a juré ma perte. Voilà ce qu'il cherche. Il veut m'empêcher de devenir citoyen d'honneur. Après tout ce que j'ai fait pour lui… Moi qui l'ai élevé comme mon propre fils…

— Cessez vos jérémiades, l'interrompit la comtesse. Je ne les supporte plus. D'autant que le garçon a peut-être dit la vérité. Il a pu y avoir un échange à son insu. Nous devons nous rendre de ce pas chez M. Morose et récupérer la poudre.

— Il n'y a eu aucun échange ! maugréa-t-il d'un air sombre. Il a dérobé la poudre afin de

la faire passer pour sienne. Son intention est de causer ma perte. Après tout ce que je lui ai sacrifié ! Lorsque je le trouverai, je le dépècerai en commençant par les orteils ! Non... par les oreilles ! Non... par les doigts !

— Suffit ! tonna la comtesse.

Sa voix résonna dans la cour avec le fracas d'un coup de fusil. Même Mel sursauta.

Elle prit une inspiration profonde, ferma les yeux puis compta jusqu'à trois. Comme toujours quand la colère bouillonnait en elle, brûlante et noire, une odeur de chou et de chaussettes mouillées semblait lui emplir les narines. La puanteur étouffante de la maison de la crique de Jimmy, revenue du passé pour la torturer...

Elle chassa aussitôt ce souvenir de son esprit. Cette époque était révolue, morte, enterrée. Elle avait fait en sorte qu'il en soit ainsi. Pour retrouver son calme, elle se représenta ses placards tapissés de velours violet foncé, tous les beaux bijoux qui scintillaient sur ses étagères, et les quatre-vingt-douze paires de chaussures alignées sur les magnifiques portants en chêne. Les mur-

mures des tentures de soie et de ses domestiques attentifs la protégeaient du monde extérieur, de ses épreuves et de ses sottises.

— Avez-vous la boîte de contrefaçon ? demanda-t-elle d'une voix apaisée en rouvrant les yeux.

L'alchimiste opina du bonnet.

— Donnez-la-moi.

Il hésita à peine une seconde avant de lui remettre le coffret à bijoux de la mère de M. Morose, que Will avait, accidentellement, pris sur la table.

— Garde, ouvrez les portes !

Obtempérant, Mel abaissa le levier et la grille s'ébranla. La comtesse rejoignit d'un pas vif la rue avant de stopper net pour se tourner vers l'alchimiste, qui continuait à secouer la tête et à bougonner dans sa barbe.

— Eh bien ? s'impatienta-t-elle. Qu'attendez-vous ?

— Moi ? Vous voulez que je vous accompagne ?

L'alchimiste eut un petit rire forcé. Il ne l'aurait jamais admis, mais il avait toujours eu un peu peur du grand, du mince, du taciturne M. Morose, qui tenait compagnie aux morts et connaissait leurs moindres secrets.

— Enfin je ne peux pas... à une heure aussi avancée... c'est hors de question... ma profession exige...

La comtesse le foudroya d'un regard noir et il s'interrompit de son propre chef, se ratatinant dans son immense pardessus. Elle revint sur ses pas, avec une lenteur si calculée que Mel eut l'impression de voir un chat à taille humaine.

— Peut-être ne comprenez-vous pas, dit-elle avec une suavité qui fit frissonner Mel.

Rien n'était pire que lorsqu'elle adoptait ce ton mielleux.

— Je suis la comtesse Prima Donna, autrement dit la femme la plus importante de cette ville. Je vous ai demandé de me fabriquer le charme le plus puissant du monde, et vous, vous m'avez apporté ce... ce... ce...

Elle brandit le coffret à bijoux, dont elle ouvrit le couvercle d'un coup sec. Un peu de cendre grise s'en échappa.

— Cette poussière. Qui ne m'est bonne à rien !

Elle claqua le couvercle si près du nez de l'alchimiste qu'il tressaillit.

— Tant que vous n'aurez pas retrouvé ma poudre magique, dit-elle en se penchant vers lui, vous ne me quitterez pas d'une semelle. Même pour une seconde. Et si je découvre que cela fait partie d'une machination, si je découvre que, en réalité, vous n'avez pas réussi à mettre le charme au point…

Elle éclata d'un rire parfaitement dépourvu d'humour, les yeux luisants.

— Eh bien, dans ce cas, reprit-elle, aucune magie ne pourra vous venir en aide. Nous som-mes-nous bien compris ?

— La poudre magique existe, couina-t-il, je vous le jure. Je n'en ai jamais fabriqué de plus remarquable.

— Bien, répliqua-t-elle en s'écartant. Allons la récupérer, alors.

— Mais… et le garçon ? Il va s'en tirer aussi facilement ?

La comtesse avait déjà tourné les talons et son long manteau de fourrure ondulait dans son sillage.

— Ne vous souciez pas de lui. J'ai des espions, des sentinelles et des amis dans toute la ville. Il sera débusqué. Et une fois débusqué, il sera… traité en conséquence.

Au ton sur lequel elle prononça ces mots, Mel sentit les poils de sa nuque se dresser, comme si une douzaine d'insectes le chatouillaient.

— Maintenant, venez ! s'impatienta la comtesse.

L'alchimiste se hâta. Mel entendit leurs pas longtemps après qu'ils se furent évanouis dans la brume et qu'il eut refermé la grille sur eux. Il poussa un soupir de soulagement.

— La voie est libre, murmura-t-il en rentrant dans sa guérite et en se baissant pour regarder sous son bureau.

Sauf qu'il n'y avait plus que des ombres. Mel se redressa puis se gratta à nouveau la tête.

— Où diable… ? commença-t-il à dire tout haut avant de remarquer que la chatière oscillait légèrement sur ses gonds.

Se mettant, non sans difficulté, à quatre pattes, il poussa le panneau de bois. Il plissa les yeux juste à temps pour voir le garçon sans bonnet tourner au coin de la ruelle et disparaître.

SEPT

Ce fut avec un certain soulagement que Po retrouva l'Autre Côté après sa conversation avec Lily. Balluchon semblait partager son sentiment : caracolant devant le fantôme, il traversait les objets qui croisaient sa route, faisait des cabrioles et se transformait soudain en nuage noir informe avant de retrouver son aspect originel. Avec ses pitreries, il essayait de tirer un sourire à son compagnon.

Lily occupait les pensées de Po. Il n'avait pas prémédité son mensonge, qui avait réveillé de vieux sentiments oubliés. Alors même que la nuit infinie pulsait autour de lui à présent, alors même que, porté par le vent, il naviguait entre les vallées sombres et les étoiles glaciales, il ne parvenait pas à chasser le souvenir de l'expression de Lily. Son léger frémissement quand elle avait soufflé : «Dis-lui qu'il me manque.» Et le regard qu'elle avait posé sur Po lorsqu'il avait prétendu avoir un message pour elle : un regard de bonheur pur, qui rappelait les liserons parsemés de rosée aux corolles blanches et délicates, qui poussaient abondamment de l'Autre Côté. Lily faisait vibrer les fibres de l'être de Po alors qu'il en avait perdu l'habitude depuis longtemps.

— *Nous ne devons pas retourner du Côté des Vivants, Balluchon,* lui communiqua-t-il par la pensée.

Son compagnon se contenta d'acquiescer mentalement. Étant très loyal, il partageait toujours le point de vue de Po.

— *Ce n'est pas bien,* poursuivit le fantôme, *c'est contre nature. Nous sommes morts, après tout. Notre place n'est pas là-bas.*

— *Miouaf !* répondit l'esprit de Balluchon.

— *Et la fille s'en sortira,* reprit Po. *Elle allait bien avant nous, ça ne changera pas.*

— *Miouf! Je suis d'accord avec toi, quel que soit ton avis.*

— *Ses dessins me manqueront, cependant…*

Balluchon, qui faisait des pirouettes devant lui, ne répondit rien.

À ce stade, il était impossible de savoir s'il avait été un chien ou un chat, avant. Parfois, l'inclinaison interrogative de sa tête, les soubresauts de sa queue et le mouvement de ses oreilles lui donnaient des airs de félin. Mais avec sa tendance à suivre Po partout et à s'enthousiasmer pour la moindre étoile filante ou la moindre traînée de poussière nuageuse, il semblait davantage tenir de l'espèce canine.

Peu importait au fond, car une chose était sûre : Balluchon était un explorateur-né. Il n'aimait rien tant que découvrir un recoin inconnu de l'univers. Il se décomposait brusquement pour se fondre, un temps, dans ce nouveau lieu, et ne reprenait sa forme ébouriffée qu'une fois sa curiosité satisfaite. Comme il ne pouvait plus ni sentir, ni voir, ni toucher, il ne disposait que de ce moyen pour découvrir les choses : se mêler à elles.

Quand il était fatigué, il aimait se disperser en Po. Ne pouvant pas monter sur les genoux du fantôme – puisque celui-ci n'en avait pas –, il se réfugiait en lui, se recroquevillant au centre de son être. Dans ces moments-là, Po était le seul à savoir qu'il portait en son sein un autre être.

De tous les miracles auxquels Po avait assisté au cours de sa mort, il lui semblait que celui-ci – l'absorption d'un autre être – était le plus étonnant, le plus remarquable de tous. Chaque fois que Balluchon reprenait forme, Po éprouvait une douleur physique qui lui rappelait le corps qu'il avait laissé derrière lui.

— *Allons dans notre endroit*, pensa Po.

— *Miouaf!*

Les deux compagnons rasèrent le sommet d'une colline baignée par le clair de lune pour rejoindre un cours d'eau noir qui coulait entre des coteaux ondulants. Ils appréciaient tous deux ce lieu retiré.

Po pila net en découvrant un autre esprit assis au bord de la rivière. Balluchon, lui, poussa un cri de surprise. C'était leur coin secret, précisé-

ment au tiers du chemin entre les chutes d'eau infinies et l'étoile 6789.

L'esprit tournait le dos aux deux amis et grommelait tout bas. Il ne devait pas être passé de l'Autre Côté depuis longtemps car sa silhouette, encore bien définie, était clairement celle d'un homme.

Dérivant dans les airs, Po s'approcha et l'entendit murmurer :

— Si seulement je pouvais retourner au saule pleureur. Je suis sûr qu'alors je serais sur la bonne voie. À quinze pas de l'arbre, il y a la mare, et au pied de la colline, la maison, où la petite Lily m'attendra avec sa mère…

Po en resta interdit. Il n'avait pas exagéré en affirmant à Lily qu'il n'avait quasiment aucune chance de revoir son père. Et pourtant c'était lui qui se tenait là.

Po fut si surpris qu'il en laissa échapper un sifflement : le fantôme du père de Lily sursauta avant de se retourner.

— Ah ! Bonjour, dit-il. Je ne vous ai pas entendu arriver.

Po se retint de faire remarquer que, par définition, les esprits se déplaçaient sans un bruit. À l'évidence, l'homme était déboussolé. Ses contours étaient incroyablement précis ; ils s'estompaient à peine autour de ses cheveux, donnant l'impression qu'il portait un chapeau sombre. Il s'essuya la joue.

Po n'avait jamais vu un esprit pleurer avant. Il ne versait pas de vraies larmes, bien sûr ; des petites taches sombres et frémissantes, telles des ombres, écartaient les atomes de son visage pour révéler le ciel étoilé derrière. Les fantômes, même jeunes, n'avaient que peu de consistance.

— Que faites-vous ici ? lui demanda Po.

Balluchon les rejoignit et s'enroula autour des chevilles du père de Lily.

— J'ai bien l'impression que je me suis perdu.

L'homme secoua la tête avant de baisser les yeux sur l'ombre ébouriffée à ses pieds, puis de les relever sur la rivière de poussière noire et les planètes qui tournaient derrière les gigantesques nuages blancs.

—Je déambule depuis une éternité et je n'arrive pas à retrouver mon chemin…

Il s'interrompit et, considérant Po avec intérêt, reprit :

— Qui es-tu ?

— Je m'appelle Po.

— Je te vois flou, j'ai dû oublier mes lunettes à la maison, observa-t-il en tapotant la poche de sa chemise, à peine visible dorénavant.

Les vêtements étaient les premiers à disparaître de l'Autre Côté – ils n'avaient ni âme ni essence pour les retenir. Les vêtements n'étaient que des choses, et les choses se décomposaient très facilement.

— Je suis Henry Lantonnelle. Peut-être que si tu t'approchais un peu…

Po s'exécuta, même s'il savait que ça ne changerait rien.

— Ah, mais voilà, c'est mieux, mentit l'homme tout en secouant les pieds d'un air penaud. J'ai dû marcher dans de la boue.

— Ce n'est pas de la boue, c'est Balluchon, répliqua Po.

— Pardon ? s'étonna Henry en plissant les paupières.

— Balluchon. Balluchon s'est enroulé à vos pieds. Il a un vrai talent d'explorateur, vous savez. C'est d'ailleurs pour ça qu'il devait plutôt être un chien. D'un autre côté, il adore la constellation des Poissons… Ce qui me ferait davantage pencher du côté du chat.

— Euh… oui… je comprends, répondit Henry.

Bien sûr, il ne comprenait rien du tout. Il agita la jambe plus vigoureusement et Balluchon se laissa dériver vers Po.

— Voilà qui est mieux ! conclut-il.

Po entendit Balluchon exprimer, intérieurement, sa désapprobation : *Snirf !*

— Vous venez souvent ici… euh, Balluchon et toi ? Vous connaissez bien ce coin ?

— Aussi bien que n'importe qui, je dirais.

Le visage de Henry s'illumina, et Po sentit son cœur se serrer : cela lui rappelait Lily.

— Merveilleux ! Un habitant du cru ! Tu vas donc pouvoir m'indiquer la bonne direction et m'aider à rentrer chez moi.

Résolu à ne pas tourner autour du pot, le petit fantôme répondit d'une voix ferme :

— Vous êtes de l'Autre Côté, maintenant. Vous avez quitté le monde des vivants, traversé la frontière.

Henry réfléchit une minute. Un nouveau pli sombre se forma sur son front : par celui-ci apparut une traînée de poussière planétaire. Les atomes de Henry se dissociaient les uns des autres, lentement mais sûrement. Il se mêlait peu à peu au décor. Bientôt, il serait comme eux, une partie du Grand Tout. Po éprouva un mélange étrange de tristesse et de soulagement. Il se répéta que perdre sa forme humaine était dans l'ordre des choses, qu'on ne pouvait pas le regretter.

Henry finit par secouer la tête.

— Je comprends parfaitement, dit-il d'un ton assuré. En chemin, j'ai rencontré une femme charmante… Carol, je crois… Elle m'a tout expliqué, son décès des suites de la grippe après être sortie au beau milieu de la nuit pour chercher des pommes de terre. L'homme juste après elle avait trouvé la mort au cours d'une rixe, dans un bar. C'est précisément pour cette raison que je n'ai jamais bu, tu sais. Enfin, tout cela ne change rien au fait que je dois rentrer. Je dois rejoindre la mare, le saule, ma femme et ma petite Lily. Elles vont se ronger les sangs, je peux te le garantir.

Po ignorait comment en appeler à sa raison. Peut-être qu'au moment de passer de ce côté-ci Henry avait eu le cerveau secoué.

— Je suis désolé, reprit-il en articulant bien. Je ne crois pas que vous compreniez. Vous êtes mort.

— Je le comprends très bien, riposta Henry avec une pointe d'agressivité. Tu n'as pas écouté ce que je viens de te dire ?

— Mais… mais…

Po était à court de mots. Il avait perdu l'habitude de parler à voix haute aussi longtemps et, l'espace d'une seconde, il regretta d'avoir mis les pieds dans la chambre de Lily.

— Vous ne pouvez pas rentrer chez vous. Il n'y a aucun moyen de retraverser en sens inverse. Pas pour de bon en tout cas.

Henry se releva. Balluchon se réfugia à l'intérieur de Po.

— Mon cher garçon, commença l'homme avant de plisser une nouvelle fois les paupières. Ma chère fillette… mon cher… qui que tu sois… je suis peut-être mort, mais mon chez-moi se trouve là où j'ai construit ma vie, et c'est là que je retournerai dans la mort. Ma fille unique y est née, et ma première femme, l'amour de ma vie, y a été enterrée. Elle n'est pas ici, d'ailleurs, dans cet endroit que tu appelles l'Autre Côté, car si tel était le cas elle m'aurait déjà retrouvé. Elle n'est pas ici et je vais te dire pourquoi : elle est chez nous, près de la mare et du saule pleureur. Et moi, que je sois mort, vif ou quelque part entre les deux, je rentrerai chez moi. M'as-tu bien compris ?

À mesure qu'il parlait, sa voix devenait plus forte, plus sévère, et Po fut gagné par la honte. Des sensations lointaines, ô combien lointaines, lui revinrent : la vague odeur de la craie et du papier, ainsi que la pression d'une table d'écolier sur ses genoux.

— Comment comptez-vous y aller ? demanda-t-il.

— Ma fille m'y emmènera. Elle connaît le chemin.

— Vous lui manquez, fit Po, se rappelant soudain sa promesse. Elle m'a chargé de vous le dire.

— Elle me manque aussi, soupira Henry, d'une voix qui avait perdu toute dureté.

L'air peiné, il ajouta dans un murmure :

— C'était la soupe, tu sais. Je n'aurais jamais dû manger la soupe.

— Quoi ? lança Po, à nouveau perplexe.

— Oublie…

Se repliant sur lui-même, Henry s'assit à nouveau au bord de la rivière silencieuse. Il semblait vaincu, tout à coup, et Po constata que l'obscurité commençait à lui grignoter les épaules à présent – le Grand Tout s'attaquait à l'âme de Henry.

— Laisse-moi maintenant, souffla-t-il. Je suis très fatigué.

— D'accord, répondit Po avant de se souve-

nir d'une des leçons de Lily. Je suis désolé pour
vous.

— Ce n'est rien, répondit Henry sans déta-
cher ses yeux des étoiles, du ciel et de l'univers
qui se déployait devant lui. Quand Lily m'aura
ramené chez moi, je me reposerai.

HUIT

Pendant ce temps-là, dans les ruelles sombres et tortueuses du Côté des Vivants, Will courait pour sauver sa peau.

Il courait à l'aveugle. Sans réfléchir, il tournait à gauche puis à droite, s'engageant dans des impasses nauséabondes ou des rues si étroites et obscures qu'il voyait à peine à trois pas.

« Un plan, songea-t-il, il me faut un plan. » Mais son cœur battait si fort à ses oreilles qu'il ne parvenait pas à s'entendre réfléchir.

Il possédait une certitude : il ne pouvait pas retourner chez l'alchimiste. Il ne pourrait jamais y remettre les pieds, jamais de toute sa vie, parce que l'alchimiste n'hésiterait pas à le tuer.

Will était habitué aux humeurs de son maître. À de nombreuses reprises, il l'avait vu s'emporter et virer à l'écarlate sous l'effet de la colère, comme la fois où Will avait confondu la marante et le gingembre lors de la préparation d'un charme de protection très puissant – devenu totalement inutile sauf pour épaissir les soupes.

Cependant, il avait rarement eu aussi peur de l'alchimiste que ce soir, lorsque la comtesse Prima Donna les avait introduits dans ses appartements privés avant d'ordonner à ses domestiques de les « laisser », faisant tomber, de ce simple mot, un froid polaire sur la pièce.

Le ton de sa voix ainsi que l'éclat sombre et furibond de ses yeux ne permettaient pas de douter : elle n'avait pas convoqué l'alchimiste pour le féliciter, le remercier ou le nommer citoyen officiel de la ville. Celui-ci s'était tourné vers Will avec une expression de mépris si cinglante et de rage si haineuse que le garçon s'était liquéfié. En dépit du feu qui brûlait dans un coin du salon, ses dents avaient recommencé à claquer.

— Bon à rien ! avait jeté la comtesse à la tête de l'alchimiste.

Entendre l'insulte familière retournée contre son maître aurait dû amuser Will. Une seule pensée l'obnubilait, pourtant : quelque chose avait mal tourné, très mal, et ça allait lui retomber dessus.

— Pardon ? avait bredouillé l'alchimiste, tandis qu'il ouvrait des yeux comme des soucoupes.

— J'ai dit : bon à rien ! Je vous ai demandé le plus grand, le plus puissant des sortilèges, et vous m'apportez un tas de poussière !

D'un mouvement brusque, elle souleva le couvercle du coffret en bois, révélant les cendres gris clair à l'intérieur, aussi dépourvues de magie et aussi froides que des racines enterrées sous la neige en plein hiver.

À cet instant, l'alchimiste s'était décomposé. Quelques secondes durant il avait été privé de l'usage de sa langue. Il était resté planté là, les yeux rivés sur la boîte entre les mains de la comtesse. Puis il s'était tourné vers Will et n'avait prononcé qu'une seule syllabe :

— Toi !

Ce minuscule mot de rien du tout renfermait cinq années de haine, de déception, d'espoirs piétinés et de reproches, et Will eut l'impression d'avoir reçu un coup d'une violence incroyable. Et il comprit aussitôt que sa vie aux côtés de l'alchimiste était terminée. Qu'il ne dormirait plus jamais sur la paillasse étroite et glaciale installée devant la cheminée, qu'il ne se lèverait pas avant le jour pour nourrir les poissons, qu'il ne réduirait plus de mulet séché en poudre sous le regard vigilant de son maître, qu'il ne recueillerait plus de larmes de chèvre, auxquelles il ajouterait deux gouttes de clair de lune, ni plus ni moins, pour fabriquer une crème capable de soigner n'importe quel bouton, même le plus gros.

L'alchimiste avait tenté de s'expliquer : la comtesse avait, de toute évidence, récupéré la mauvaise boîte. Celle qu'elle tenait à cet instant précis n'était en aucun cas celle qu'il lui avait adressée. La vérité avait alors éclaté au grand jour : Will ne s'était pas rendu directement chez la comtesse Prima Donna, alors qu'il en avait

reçu l'ordre exprès, mais avait fait un détour par l'échoppe de M. Morose ; Will s'était endormi près du feu ; il était ressorti, les yeux encore gonflés de sommeil, sans vérifier qu'il avait repris la bonne boîte (car il y en avait deux, presque identiques).

Son honnêteté n'avait pas suffi. La comtesse avait poussé les hauts cris, l'alchimiste l'avait maudit, et Will avait compris que c'était la mort qui l'attendait s'il restait.

Il avait donc pris la fuite, se réfugiant dans la cahute du garde, puis s'échappant par la chatière à la première occasion.

Un plan… un plan… un plan… Le mot rebondissait dans l'esprit de Will telle une balle de flipper. L'air glacial lui râpait la gorge. Il transpirait à présent et le col de sa chemise était collé à sa nuque. Son cœur lui faisait mal à force de tambouriner : il devait absolument se reposer. Il se réfugia dans une impasse exiguë pour reprendre son souffle et guetter des cris ou des bruits de cavalcade. Il n'entendit que les grattements discrets des rats. Bien. Il n'était pas suivi. Pas encore, du moins.

Il devait quitter la ville. Il devait mettre le plus de distance possible entre lui et son maître, entre lui et la comtesse Prima Donna ainsi que la ribambelle de domestiques, d'hommes de main et de sympathisants à son service. Mais où pouvait-il trouver refuge ?

D'orphelin il était devenu à peine mieux qu'un esclave, au service de l'alchimiste. Will n'avait jamais eu nulle part où aller.

Il s'en rendait compte pour la première fois, accroupi dans cette impasse, et cette prise de conscience, loin de le rendre malheureux, lui pro-

cura une étrange impression de liberté. Un peu comme s'il était entré dans une pièce où le silence était subitement tombé et qu'il avait su que, oui, il était au centre de la conversation. Que, oui, tout le monde disait que ses pieds sentaient le poisson pourri. Et qu'il n'en avait rien à faire.

Il quitterait donc la ville. Et alors ? Il irait où ses pas le porteraient, voilà où il irait.

Il se souvint de l'époque où il vivait encore à l'orphelinat et où, lui et les autres garçons, ils sortaient parfois en douce pour aller regarder les trains entrer en gare, avec leurs panaches de fumée. Un vagabond vivait près des rails, Will en gardait un souvenir très précis : Carl le Toqué, qui collectionnait les bouteilles de verre. Il s'était installé dans un petit wagon rouillé qui le protégeait du vent, de la pluie et du froid. Will se demanda s'il était encore là.

Il n'avait qu'un moyen de le découvrir.

Lorsque les battements de son cœur eurent retrouvé leur rythme normal, il se releva et prit la direction de la gare. Ce soir, il dormirait. Et demain, il monterait dans un train.

NEUF

Lily venait de s'endormir quand elle sentit une présence près de son lit. Elle eut l'impression qu'on lui effleurait la joue et, l'espace d'une seconde de grande confusion, elle se figura qu'elle était redevenue une toute petite fille, au pied du saule pleureur, près de la mare, le visage collé contre le velours de la mousse qui poussait sur la tombe de sa mère. Elle souleva alors les paupières et découvrit qu'elle se trouvait, bien sûr, dans sa petite chambre sous les toits, comme depuis si longtemps. Balluchon la fixait de ses deux rayons de lune, et Lily crut entendre un *miouaf* poussé directement dans son oreille.

Po était là, lui aussi. Pour un morceau

d'ombre, il paraissait étonnamment pâle.

— Bonjour, dit la fillette en s'asseyant dans son lit. Je ne m'attendais pas à te revoir de sitôt.

Au lieu de lui répondre qu'il avait bien eu l'intention de ne jamais revenir, le fantôme expliqua :

— J'ai revu ton père. Je lui ai transmis ton message.

Toute à son excitation, elle voulut serrer les mains de l'esprit et ne rencontra que la caresse de l'air. Po sembla frissonner toutefois.

— Vraiment ? Tu lui as dit ? À quoi ressemblait-il ? Qu'a-t-il répondu ?

Po s'écarta légèrement du lit. Son contact avec Lily l'avait déstabilisé. Il pouvait franchir des murs de brique sans rien éprouver, se disséminer dans des courants d'air sans aucune souffrance. Or, là, il avait senti les mains de la fillette, à croire qu'elle avait réussi à l'atteindre jusque dans son essence.

Les gens avaient le pouvoir de vous bousculer, de vous donner des coups, de vous sonder. Ils étaient même parfois en mesure de vous déchirer,

petit bout par petit bout. Mais au cœur de chacun d'entre nous, à la racine de l'être, demeurait quelque chose d'inatteignable, normalement.

Si Po l'ignorait à l'époque où il était en vie, à présent il le savait.

— Il a dit qu'il n'aurait jamais dû manger la soupe.

Le fantôme attendit de voir si ses paroles auraient de l'effet sur la fillette.

Elle eut une moue qui fit se rencontrer sa lèvre supérieure et son nez.

— La soupe ? s'étonna-t-elle. Quelle soupe ?

— Je n'en sais rien. En tout cas, c'est ce qu'il a dit.

— Il a ajouté autre chose ? s'impatienta Lily.

Elle était agacée que Po n'ait rapporté de son passage du côté des morts qu'un message sur un repas insatisfaisant.

— Oui, répondit-il d'un ton hésitant. Il a dit qu'il devait rentrer chez lui. À l'endroit où se trouve le saule pleureur. Il a précisé qu'il ne pourrait se reposer qu'à ce moment-là. Il compte sur toi pour l'y emmener.

Lily en resta pétrifiée. Elle était si immobile et livide que Po en fut effrayé, lui qui n'avait jamais eu peur d'un être vivant avant. Les humains étaient trop fragiles avec leurs os qui se cassaient, leur peau qui se déchirait, leur cœur qui renonçait dans un soupir.

À cet instant, sa fine couverture tirebouchonnée autour de la taille, Lily ressemblait à un objet en verre sur le point de voler en éclats. Et le fantôme n'avait aucune envie de la voir en miettes. Pas plus que Balluchon, d'ailleurs. La petite ombre hérissée devint floue tandis qu'elle essayait, sans succès, de ne faire qu'un avec Lily. C'était un autre problème avec les vivants : chacun d'eux formait un tout impénétrable. Ils ne pouvaient pas réellement se fondre l'un dans l'autre. Ils ignoraient comment être quelqu'un d'autre qu'eux-mêmes…

— Je dois apporter ses cendres au saule pleureur, murmura soudain Lily d'un ton assuré. Je dois enterrer mon père à côté de ma mère. Son âme pourra ensuite rejoindre l'Au-Delà.

Elle plongea ses yeux dans ceux que Po aurait

encore eus s'il n'avait pas été un fantôme ; il se sentit ému jusque dans son essence.

— Et tu vas m'aider, conclut-elle.

Le fantôme ne s'était pas attendu à ça.

— Moi ? demanda-t-il sans enthousiasme. Pourquoi moi ?

— Parce que tu es mon ami.

— Ton ami... répéta-t-il.

Le mot lui était devenu étranger avec le temps. Un vague souvenir remonta des profondeurs de sa mémoire : un éclat de rire diffus, une odeur de laine épaisse et une morsure mouillée sur sa joue. Une bataille de boules de neige ! Il n'y avait pas pensé depuis si longtemps que des millions d'étoiles s'étaient éteintes et allumées entre-temps.

Il n'aurait jamais imaginé qu'au cours de cette éternité sans fin il pourrait se faire une amie.

— Entendu, ajouta-t-il. Je t'aiderai.

— J'étais sûre que tu accepterais !

Voulant jeter ses bras autour du cou du fantôme, Lily ne rencontra que le vide et faillit tomber par terre. Tout à coup, elle sembla s'effondrer de l'intérieur. S'abandonnant contre les oreillers, elle murmura avec désespoir :

— Mais ça ne sert à rien. Comment pourrais-je enterrer mon père au pied du saule ? Je ne suis pas autorisée à quitter le grenier. Je n'en suis pas sortie depuis des mois et des mois. Augusta dit que le danger est trop grand. Je dois rester ici, pour mon propre bien. Et la porte est fermée de l'extérieur. Karen ne l'ouvre que deux fois par jour, pour m'apporter à manger.

Karen, l'une des domestiques qu'Augusta avait engagée avec l'argent de Henry, gravissait toujours avec difficulté l'escalier en colimaçon alors qu'elle n'était parfois chargée que d'un minuscule bout de viande dure – en général les restes du dîner d'Augusta – et d'un fond de lait.

Augusta n'avait pas vu Lily une seule fois depuis treize mois et, bien qu'ayant trois domestiques à son service et se faisant coiffer tous les jours, elle se plaignait constamment de l'appétit de la fillette – elle n'avait pas les moyens de nourrir autant le petit rat du grenier.

Po conserva le silence quelques instants.

— À quelle heure monte-t-elle ton plateau ? finit-il par demander.

— Avant le lever du soleil. Pendant que je dors, le plus souvent.

— J'en fais mon affaire.

Lily sut aussitôt que prendre Po pour ami avait été une excellente idée.

DIX

Karen McLaughlin n'aimait pas se rendre au grenier. Pour aller de la cuisine jusque sous les toits, il fallait gravir trois escaliers, puis une volée supplémentaire de minuscules marches. Et c'était encore moins commode avec un plateau.

Mais une chose lui déplaisait par-dessus tout : voir Lily. Elle avait des frissons chaque fois qu'elle posait les yeux sur la fillette au visage pâle, si pâle, et aux immenses yeux bleus, qui ne pleurait pas, ne criait pas et ne faisait aucune histoire. Elle se contentait de rester assise et d'observer Karen. Ce n'était pas normal.

Même Milly, la cuisinière, partageait son avis. « C'est louche », aimait-elle à dire en versant un peu d'eau chaude sur une tablette de bouillon concentré pour préparer une soupe à la fillette ou en frappant avec un marteau un morceau de viande plein de gras et de cartilage afin de l'attendrir et d'éviter à Lily de s'y casser les dents. « Les petites filles ne sont pas censées être enfermées dans des greniers comme des pigeons dans un pigeonnier. Ça finira par nous porter malchance, tu verras. »

Milly répétait aussi constamment qu'il fallait agir, même si elle ne joignait pas l'acte à la parole. Les temps étaient difficiles, les emplois rares et on mourait de faim un peu partout en ville. Si, pour être au service d'Augusta Lantonnelle, il fallait supporter la vue d'une fillette au teint fantomatique, eh bien… beaucoup étaient prêts à s'y résoudre.

En son for intérieur, Karen soupçonnait Lily d'être devenue un fantôme, car elle était aussi superstitieuse que n'importe qui, en cette période obscure où le soleil avait cessé de briller et où le monde avait perdu ses couleurs.

Bien entendu, Karen n'avait jamais entendu

parler d'un esprit qui se nourrissait, et Lily rendait toujours une assiette vide, peu importait qu'elle contienne des aliments répugnants ou gâtés. Et bien entendu aussi, le corps de la petite lui avait paru tout à fait réel, aux rares occasions où Karen avait été contrainte de le toucher (les deux fois où la jeune recluse avait eu de la fièvre et la fois où le poisson préparé par Milly était pourri, ce qui avait valu à la fillette une indigestion carabinée). L'un dans l'autre, pourtant, croiser le regard de Lily lui procurait une sensation de picotement inconfortable qu'elle ne parvenait pas très bien à identifier – une sensation qui lui rappelait le jour où les bonnes sœurs de son pensionnat l'avaient surprise en train de piquer un cookie aux pépites de chocolat dans le sac de Valerie Kimble. Karen avait l'impression d'être surveillée, et jugée.

Voilà pourquoi elle redoutait autant ses deux visites quotidiennes au grenier et pourquoi elle s'efforçait de profiter du sommeil de la petite.

La demie de cinq heures venait de sonner lorsqu'elle s'engagea avec prudence dans l'escalier, équilibrant le plateau qui contenait, ce jour-là, une bouillie pâteuse de pain sec et d'eau chaude, ainsi que le fond de lait. La maison était encore plus calme qu'à l'accoutumée, et les ombres semblaient particulièrement inquiétantes, sombres et démesurées. Quelque chose lui effleura soudain la cheville et elle sursauta, manquant de renverser le plateau. Un chat miaula dans le noir avant de dévaler les marches. Elle libéra sa respiration. Ce n'était que Thon, le matou galeux, que les cuisinières avaient adopté et qui déambulait parfois dans les couloirs, la nuit, quand Augusta n'était pas là pour lui décocher un coup dans les côtes.

— Ce n'est qu'un chaton, se murmura Karen. Un petit chaton de rien du tout.

Son cœur battait pourtant la chamade et la sueur perlait sous ses bras. Il y avait quelque chose de différent ce matin. Elle le sentait. Elle le savait.

La faute à ces satanées cendres, ce monticule de poussière dans le coffret en bois sur le manteau de la cheminée. C'était contre nature. Autant que d'avoir un mort empaillé dans son salon. Et ne disait-on pas que les fantômes s'accrochaient à leurs restes humains ? Si ça se trouvait, le maître de la maison était justement en train de la regarder, de la suivre sur la pointe des pieds, prêt à enrouler ses doigts noirs autour de son cou dénudé…

Un souffle passa sur sa joue et elle poussa un cri. Mais ce n'était qu'un courant d'air. Un simple courant d'air.

— Les fantômes n'existent pas, murmura-t-elle à voix haute. Ça n'existe pas.

Elle n'en menait pourtant pas large tandis qu'elle gravissait les trois dernières marches conduisant au grenier. Elle enfonça dans la serrure l'immense clé qu'elle gardait dans la poche de son tablier.

Plusieurs événements se succédèrent à toute vitesse.

Lily, qui était assise dans son lit – et non allongée, les yeux clos, comme Karen s'y attendait –, lui dit :

— Bonjour.

Po, qui se tenait juste à côté de la fillette dans la

pénombre, se concentra de toutes ses forces sur ses souvenirs lointains d'une immense boule brillant dans le ciel. Ses contours se mirent alors à luire telle une étoile apparaissant à la tombée du jour : faiblement d'abord, puis de plus en plus distinctement. Ce halo soulignait la silhouette d'un enfant dont le corps n'était fait que d'air.

— Bouh ! dit-il.

Grrrr, ajouta Balluchon.

Ensuite, Karen lâcha son plateau.

Ensuite, Karen hurla : « À l'aide ! »

Ensuite, Karen tourna les talons et redescendit

l'escalier à toute vitesse, alors qu'un petit cri de frayeur montait dans sa gorge.

Et, dans sa précipitation, elle oublia de fermer la porte derrière elle.

— Vite, dit Po.

Lily repoussa les couvertures et se leva. Elle ne portait pas sa fine chemise de nuit, mais un pantalon, un grand pull mangé par les mites, une vieille veste en velours violet et des chaussures. Elle n'avait pas enfilé autre chose que des chaussons depuis si longtemps qu'elle eut un peu de mal à marcher au début.

— Nous n'avons pas beaucoup de temps devant nous, la pressa Po, glissant devant elle.

Apparaître devant la servante l'avait épuisé et il avait repris, presque aussitôt, son apparence habituelle.

— Plus vite ! insista-t-il.

Dans son excitation, Balluchon filait d'un coin de la pièce à l'autre, apparaissant ici et là, au sol comme au plafond.

— Je me dépêche, chuchota Lily.

Elle jeta sur son épaule le petit sac qu'elle

avait préparé plus tôt – il contenait une tenue de rechange, ses affaires de dessin et quelques bricoles du grenier –, puis franchit à pas feutrés le seuil de sa chambre. Un sentiment mêlé de peur et d'émerveillement s'empara d'elle. Il y avait si longtemps qu'elle n'avait pas quitté le grenier. Elle redoutait presque de le faire. Elle ne se rappelait plus ce qui l'attendait à l'extérieur, ce qu'on éprouvait à l'air libre. Et comment s'en sortirait-elle sans argent ni idée précise de sa destination ? L'espace d'une seconde, elle envisagea de dire à Po : « J'ai changé d'avis. »

Alors elle pensa à son père, au saule pleureur et à la mousse veloutée qui poussait sur la tombe de sa mère, et elle lança :

— Adieu, grenier !

Elle suivit la forme sombre du fantôme jusqu'au pied des escaliers.

Pendant ce temps-là, dans la cuisine, Karen faisait le récit de ses mésaventures à Milly, qui murmurait, tout en s'agitant :

— Calme-toi, mais calme-toi ! Je ne comprends rien à ce que tu baragouines !

Tandis que la cuisinière se demandait pourquoi tous les domestiques étaient maboules, une fillette, accompagnée de son ami le fantôme et d'une ombre hérissée, se glissait sans un bruit dans le salon. Sur le manteau de la cheminée, elle récupéra un coffret en bois contenant la plus puissante des poudres magiques au monde, avant de se faufiler dans la rue.

À SUIVRE

DÉCOUVRE SANS ATTENDRE
LES PREMIÈRES PAGES
DU TOME 2
DES AVENTURES DE

Lily et Po

FUITES
ET POURSUITES

UN

Au moment de poser le pied dehors, Lily s'arrêta, le temps de prendre une profonde inspiration, et Po dut la presser.

— Vite, lui souffla-t-il, avant qu'on nous découvre.

Lily emboîta le pas aux deux ombres – la grande, en forme d'enfant, et la petite, en forme d'animal – et franchit la grille à leur suite. Une fois dans la rue, elle dut marquer un nouvel arrêt, tant l'émotion la submergeait.

— C'est si grand. Je n'avais pas cette impression depuis le grenier, j'avais oublié.

Elle ne parlait pas seulement de la rue, bien sûr, mais du monde – des routes, des intersections, des tournants et des ronds-points, des décisions à prendre constamment.

Au fil des mois, Lily avait vu éclore et grandir plusieurs bébés moineaux dans le nid juste devant la fenêtre du grenier. Elle avait toujours été fascinée par leurs premiers bonds hésitants jusqu'au rebord du toit : aussi maladroits que les premiers pas d'un enfant. Tout à coup, les oisillons se lançaient dans les airs sous les pépiements d'encouragement de leurs parents.

Lily s'était toujours émerveillée de leur courage. Les moineaux sautaient dans le vide sans savoir voler, et ils n'apprenaient à voler que parce qu'ils avaient sauté.

La fillette se faisait un peu l'impression d'être un petit oiseau, dans cette rue vide, sombre et glaciale, tandis que la ville s'étendait tout autour d'elle, et le monde autour de celle-ci. C'était comme si elle se tenait au bord du vide, sans rien pour la retenir.

— Où va-t-on ? lui demanda Po.

Ils devaient trouver la gare et les trains qui quittaient la ville de Funest pour des endroits où il y avait des saules pleureurs et des lacs. Des chants d'oiseaux résonnaient dans le crâne de Lily. Elle pensa aux hommes qu'elle avait si souvent observés depuis sa fenêtre : ils rejoignaient à grandes enjambées le centre-ville, leur pardessus battant derrière eux telles des ailes de corbeau. Des hommes importants qui se rendaient dans des lieux importants, à bord de gigantesques trains haletants. Elle se représenta leur trajet.

— Par ici, dit-elle à Po en indiquant une direction.

Balluchon ouvrit la marche. Lorsque les deux fantômes eurent traversé la rue et se furent fondus dans les ombres de l'autre côté, Lily se rendit compte que ses jambes refusaient encore de lui répondre. « Avance ! pensa-t-elle. Saute ! » Rien ne se produisit.

Remarquant que la fillette restait clouée sur place, Po rebroussa chemin.

— Qu'est-ce que tu attends ? lui demanda-t-il.

— Je...

Lily fut incapable d'avouer qu'elle avait peur.

— J'ai oublié de te remercier, finit-elle par répondre.

La silhouette de Po vacilla.

— Me remercier ? s'étonna-t-il. Ça veut dire quoi ?

Lily réfléchit.

— Ça veut dire que tu es merveilleux et que je n'aurais pas réussi sans toi.

— D'accord, fit Po avant de s'éloigner.

— Attends !

Les doigts de Lily, qui avait voulu retenir le fantôme par la main, se refermèrent sur le vide.

— Oups ! gloussa-t-elle.

— Quoi, encore ?

Le fantôme peinait à contenir son agacement.

Lily laissa échapper un autre ricanement et se couvrit la bouche pour l'étouffer.

— Je voulais ton aide pour traverser la rue. J'oublie sans arrêt que tu n'es pas réel.

— Je suis réel, rétorqua-t-il en se hérissant. Tout aussi réel que toi.

— Ne sois pas fâché, Po.

Comme il s'éloignait, elle se lança à sa suite, plaçant un pied devant l'autre sans même s'en rendre compte. Un pas, puis un autre et encore un autre.

— Tu vois ce que je veux dire, ajouta-t-elle.

— Le vent et l'éclair n'ont pas plus de corps que moi, pourtant ils sont réels.

— C'est une expression, Po. Ne t'énerve pas.

Elle avait traversé la rue.

— La lumière n'a pas de corps non plus, poursuivit-il, tandis que Balluchon approuvait en jappant. La musique n'a pas de corps, et…

— Pour quelqu'un qui n'en a pas, je te trouve bien douillet, tu sais.

Un garde, qui avait terminé son service chez la comtesse Prima Donna, entendit soudain des voix. S'arrêtant sur le perron, il aperçut une jolie fillette avec un sac à dos et une boîte en bois, qui parlait toute seule et semblait s'adresser aux ombres mouvantes sur le mur à côté d'elle.

«Quel gâchis! songea le garde. Si petite et déjà son esprit ne tourne pas rond! Nous vivons décidément dans un drôle de monde…»

Puis il s'engouffra dans le hall de son immeuble.

La fillette et son ami le fantôme descendirent la rue en direction du centre-ville tout en continuant à se prendre le bec, tandis que Balluchon faisait des glissades et des bonds à côté d'eux.

Pendant qu'ils se chamaillaient et marchaient, marchaient et se chamaillaient, ils s'éloignaient toujours davantage de l'avenue du Mont, du numéro 31 et du grenier.

Peut-être les moineaux faisaient-ils de même, après tout ; peut-être étaient-ils si obnubilés par les sommets et les pointes des toits voisins couverts de rosée, par l'horizon infini devant eux, qu'ils oubliaient qu'ils ne savaient pas voler juste avant de se retrouver suspendus dans les airs.

DEUX

Mel oublia vite la jolie fillette qui parlait seule. Il avait en effet un sujet de préoccupation plus important.

Même après avoir gravi l'escalier menant à son appartement, retiré son manteau et enfilé son pyjama bien chaud, même après avoir libéré son chat Gauchère de l'écharpe dont il se servait pour la transporter et lui avoir versé du lait chaud dans une soucoupe, même après tout cela, il n'avait pas réussi à chasser de ses pensées l'apprenti de l'alchimiste. Ce petit garçon sans bonnet et qui claquait des dents.

Mel avait souvent l'impression que son cerveau était comme une immense boîte de conserve… vide. Les idées avaient tendance à rebondir d'une paroi à l'autre, sans logique et en faisant beaucoup de bruit. Souvent, il pensait au début d'une phrase mais perdait le fil avant de l'avoir terminée.

«Ta cervelle est un vrai gruyère, avait toujours dit sa mère. Pleine de trous où les choses disparaissent.»

De temps à autre, pourtant, une idée venait se ficher dans une partie pleine de sa cervelle et, une fois qu'elle était coincée là, elle ne bougeait plus.

L'idée qui l'obsédait à présent était la suivante : le garçon aurait dû avoir un bonnet.

Mel se demanda si le petit avait trouvé un endroit agréable, bien au sec, pour passer la nuit. Il l'espérait de tout son cœur. S'il avait eu davantage de temps, il lui aurait parlé de la remise derrière le collège de garçons ou de la cave de l'église.

Il connaissait toutes les cachettes de la ville : cagibis et impasses, gares et débarras, tunnels et remises. Pendant des années, il avait écumé la ville à la recherche de Bella, même après que tous lui avaient conseillé d'aller de l'avant et de l'oublier. Sa mère et son père s'étaient mis en quête de leur fille, eux aussi, avant de baisser les bras, l'un après l'autre, et de mourir à un mois d'écart, le cœur brisé.

«Un bonnet bien chaud avec des oreillettes. Voilà ce qu'il lui faut.»

Le garde se reprit aussitôt: il n'était pas responsable de ce garçon, ainsi que le lui avait fait remarquer l'alchimiste, cet échalas avec la goutte au nez. Sa logeuse, Mme Elland, répétait toujours que Mel devait apprendre à s'occuper de ses affaires et arrêter de se mêler de ce qui ne le regardait pas. La curiosité était un vilain défaut, et bla et bla et bla…

— Vous voulez toujours sauver quelqu'un, lui avait-elle reproché d'un air renfrogné.

Ce jour-là, il lui avait, une fois de plus, remis son loyer en retard, ayant donné son dernier billet de dix dollars à un mendiant posté au coin de la rue.

— La plupart des gens ne veulent pas être

sauvés, vous savez. Et puis, si vous continuez à les aider, ils n'apprendront jamais à se débrouiller seuls.

Elle était drôlement maligne, cette Mme Elland. Et lui n'était qu'un imbécile, un vrai cœur d'artichaut, qui se laissait attendrir par les ennuis des autres. Tout le monde partageait cet avis. Et un jour, il finirait par le payer. Tout le monde partageait aussi cet avis. Comme la fois où il avait recueilli des chats et des chiens errants… Ils avaient failli s'écharper, habitués qu'ils étaient à l'immense labyrinthe de la ville et ainsi entassés dans un minuscule deux pièces. Suite aux plaintes de ses voisins, Mel avait été obligé de les mettre à la fourrière. Et il n'avait pas retiré grand-chose de l'expérience à part un stock de nourriture pour animaux à peine entamé et un tapis infesté de puces.

Donnez un poisson à un homme et il aura de quoi manger pour un jour ; apprenez-lui à pêcher et il saura se nourrir pour le restant de ses jours. C'était ça, oui, tout à fait ça.

— Poisson… répéta Mel à voix haute.

Ce mot le ramena aussitôt au présent. Dans la minuscule cuisine, il récupéra une boîte de thon sur l'une des deux étagères presque vides, au-dessus de la petite gazinière, et l'ouvrit pour la donner à Gauchère, qui avait lapé son lait avec appétit. En miaulant, la chatte remua la queue et vint se frotter contre les jambes de son maître.

— Patience, ma fille. Sois patiente avec ton vieux Mel.

Lorsqu'il eut placé le thon dans la soucoupe de Gauchère, il se mit au lit. Sa petite chambre était traversée de courants d'air et il remonta ses couvertures jusqu'au menton. Puis, fermant les yeux, il s'efforça de convoquer des images propices au rêve : des éléphants roses, des rayons de soleil se reflétant sur de l'eau tiède, une sirène qui l'invitait, la main tendue à la rejoindre.

Une rafale de coups secs contre sa vitre chassa l'image de la sirène : il s'était mis à grêler.

« Il va y avoir beaucoup de pluie et de neige, cette semaine, songea Mel, tous les sens en alerte. Le garçon sera mouillé, et il aura froid. »

Un bonnet bien épais avec des oreillettes, voilà ce dont il avait besoin.

Mel savait qu'il ne réussirait pas à trouver le sommeil. Il repoussa ses minces couvertures et se leva. Sa chambre, au confort sommaire, ne contenait qu'un lit simple, une table en bois, deux chaises et une armoire étroite. Mel ouvrit celle-ci et écarta ses trois uniformes, parfaitement repassés, pour récupérer un petit coffre en bois, décoré sur les côtés de fleurs roses et bleues décolorées.

Le coffret contenait un collier fait de coquillages (au fermoir cassé), une petite poupée aux cheveux jaunes (à laquelle il manquait un œil), une moufle unique, un grand bonnet tricoté et une vague odeur – vague mais toujours présente – de framboise.

Mel sortit le bonnet qui avait appartenu à sa sœur, referma le petit coffre et le rangea dans la penderie. (L'occasion pour nous de refermer, également, le couvercle sur l'histoire de Bella, sa petite sœur disparue. Certaines histoires méritent de rester secrètes.)

Derrière la vitre, le ciel virait au gris clair. Le jour se lèverait une ou deux heures plus tard. Et il ne ferait pas plus chaud, ça, non. L'air serait aussi tranchant que la lame d'un rasoir.

Mel se rhabilla en hâte et rangea le bonnet dans la poche de son pardessus.

— Ça va mieux, ma jolie ? demanda-t-il à Gauchère qui, le ventre plein de lait et de thon, se frotta contre ses chevilles en ronronnant.

Il la souleva délicatement pour la placer dans son écharpe, qu'il passa ensuite en bandoulière sur son épaule droite. La chaleur de la chatte contre son torse le fit sourire.

Sa manie de se mêler des affaires des autres

n'avait peut-être pas que du mauvais. Après tout, son expérience malheureuse avec les chiens et les chats égarés ne lui avait pas apporté que des puces et un stock de nourriture pour animaux qu'il ne savait pas comment écouler. Elle lui avait permis de faire la connaissance de Gauchère.

Il sortit de chez lui, ferma à clé, puis se mit en quête de l'apprenti de l'alchimiste, tandis que son cerveau plein de trous continuait à envoyer le même message à son cœur démesurément grand.

« Le garçon a besoin d'un bonnet. »

TROIS

Fascinée par l'animation qui régnait dans la gare, Lily s'arrêta brusquement : le hall grouillait et bruissait, les trains glissaient sur les rails telles des rivières métalliques. La vie coulait, coulait, coulait.

— C'est par où ? demanda Po.

Sous la lumière vive des lustres, Balluchon et lui jetaient des éclats argentés par intermittences, comme le ventre d'un poisson réfléchissant brièvement un rayon de soleil à travers l'eau.

La ville de Funest se trouvait sur la côte : en allant vers le sud, on rejoignait l'océan, vers l'est, un petit village de pêcheurs, puis l'océan. Ce qui leur laissait l'ouest et le nord.

À présent qu'elle avait quitté son grenier, Lily

descendait plus facilement le long de la tour de sa mémoire. Fermant les yeux, elle se représenta de hauts pics couverts d'une neige semblable à de la crème fouettée («une neige ineffable», songea-t-elle). Elle se remémora le goût de la glace qui fondait sur sa langue, les deux taches rouges sur les joues de son père, le crissement des semelles et l'odeur du feu de bois.

— Vers le nord, répondit-elle à la question de Po.

Les contours du fantôme se précisèrent le temps qu'il étudie le panneau des départs.

— Train 128, conclut-il. Il part du quai 22 dans dix minutes. En direction du nord.

Lily se souvint soudain que les choses coûtaient de l'argent. On pouvait même aller jusqu'à dire que la marche du monde reposait sur des bouts de papier.

— Je n'ai pas de billet, dit-elle, le cœur serré. Et pas d'argent pour en acheter.

— Ne t'en fais pas, la rassura-t-il. Je t'apprendrai à devenir invisible. L'astuce, c'est de penser comme un fantôme.

Devant la moue dubitative de Lily, Po expliqua :

— Pense à la poussière et aux ombres, aux choses furtives qui se faufilent à notre insu.

Elle s'imagina donc qu'elle était un grain de poussière glissant sur les dalles de la gare pour se mêler aux ombres. Accompagnée de ses amis immatériels, elle se faufila ainsi sur le quai 22, au nez et à la barbe de l'immense contrôleur posté à l'entrée. Elle s'était mêlée à une ribambelle d'enfants turbulents et braillards, conduits par une mère à l'air excédé, qui répétait avec irritation :

— Je ne sais pas combien il y en a. J'ai arrêté de compter à six. Surtout, si vous en voulez un, servez-vous, je vous le laisserai de bon cœur.

Will, de son côté, arrivait aussi à la gare, plein d'espoir pour son avenir.

Il s'était réveillé une heure plus tôt, les membres raidis, les doigts glacés et l'estomac dans les talons. Mais le petit abri le long des rails avait au moins eu le mérite de le protéger de la pluie, de la neige fondue et de l'humidité.

Lorsqu'il s'y était réfugié, la veille, étourdi par l'épuisement, il n'y avait aucun signe de Carl le Toqué. Dans l'abri, qui avait été balayé, régnait une forte odeur de bois et, étrangement, de viande bouillie – mélange qui n'avait rien de déplaisant d'ailleurs. Roulé en boule dans le coin le plus reculé et le plus sombre, Will s'était aussitôt assoupi.

L'un dans l'autre, il avait étonnamment bien dormi. Le sol n'était pas plus dur que sa paillasse chez l'alchimiste, et il n'avait pas rêvé de poissons monstrueux aux yeux vitreux qui le traitaient de bon à rien, pas plus qu'il n'avait été tiré du sommeil en sursaut par la sonnerie stridente d'un réveil.

À SUIVRE

CE ROMAN
T'A PLU ?

DONNE TON AVIS ET
TROUVE L'AGENDA DES NOUVEAUTÉS
SUR LE SITE

www.Lecture-Academy.com

☆☆★★★

Dépôt légal 1ère publication : novembre 2012

Imprimé en Espagne par RODESA

20.3291.0/01– ISBN 978-2-01-203291-0
Dépôt légal : novembre 2012

Loi n° 49-956 du 16 juillet 1949
sur les publications destinées à la jeunesse.